EL DUENDE VERDE

Para la explotación en el aula de este libro, existe un material con sugerencias didácticas y actividades que está a disposición del profesorado en nuestra web.

© Del texto: Jordi Sierra i Fabra, 2000
www.sierraifabra.com
© De las ilustraciones: Pablo Núñez, 2000
© De esta edición: Grupo Anaya, S. A., 2000
Juan Ignacio Luca de Tena, 15. 28027 Madrid
www.anayainfantilyjuvenil.com
e-mail: anayainfantilyjuvenil@anaya.es

1.ª edición, octubre 2000
36.ª impr., noviembre 2017

Diseño: Taller Universo

ISBN: 978-84-207-1286-4
Depósito legal: S-917-2011

Impreso en España - Printed in Spain

EL DUENDE VERDE

Jordi Sierra i Fabra

3L 4S3S1N4TO D3L PROF3SOR D3 M4T3M4T1C4S

Ilustración: Pablo Núñez

QUERIDO LECTOR

¿Suspendes las mates? ¿Se te atraviesan los problemas? Más aún (aunque suene fuerte), ¿ODIAS las mates?

Vale, no contestes, no es necesario. Yo, a tu edad, también lo pasaba francamente mal con eso del 2 y 2. Porque, a ver, ¿son 4 ó 22, eh?

Lo que pasa es que ahora entiendo que todo, todo, hasta las mates, puede ser un juego si te lo tomas como tal, sin el agobio de los aprobados y la necesidad de pasar curso y tener contentos a tus padres. ¡Lástima que no lo descubriera antes, a tu edad! Asesinar al profe de mates no sirve de nada. Ponen a otro en su lugar y ya está.

Pero este libro es un juego, un divertimento, está hecho para que te rías (y sufras un poquito con el misterio) y de paso puede que te haga mirar con mejores ojos las mates. Si aceptas un consejo, trata de resolver los problemas a medida que los vayas leyendo, no pases las páginas sin más. Te encantará ser el cuarto elemento junto a los tres protagonistas de la historia.

Y cuando acabes, dáselo a tu profesor de matemáticas. Si tiene sentido del humor, tanto dará que sea «un duro» o «un blando», seguro que se reirá y, a lo mejor, adopta los métodos del insólito profe de esta novela.

Salud, camarada.

Capítulo
$$(\sqrt{169} - \sqrt{144})$$
1

NADA más oírse el timbre que daba por finalizada la clase, él les dijo:

—Adela, Luc, Nico, quedaos un momento, por favor.

Los tres aludidos abrieron primero los ojos y después se miraron entre sí. El que menos, se aplastó en el asiento como si acabasen de pegarlo con cola de impacto. El resto de los alumnos se evaporó en cuestión de segundos. Algunos les lanzaron miradas de ánimo y solidaridad, otros de socarrona burla.

—A pringar —susurró uno de los más cargantes.

Adela, Luc y Nico se quedaron solos. Solos con Felipe Romero, el profesor de matemáticas. El Fepe para los amigos, además del profe o el de mates, que era como se le llamaba comúnmente.

El maestro no se puso en pie de inmediato ni empezó a hablarles en seguida. Continuó sentado estudiando algo con atención. El silencio se hizo omnipresente a medida que transcurría el tiempo. Más allá de ellos, tras las ventanas, la algarada que hacían los que ya estaban en el patio subía en espiral hasta donde se encontraban.

Adela se removió inquieta. Su silla gimió de forma leve.

Era una chica alta y espigada, de ojos vivos, cabello largo hasta la mitad de la espalda, ropa informal como la de la mayoría de los chicos y chicas. Su preocupación no era menor que la de los otros dos. Volvieron a mirarse. Luc arqueó las cejas. Nico puso cara de circunstancias. El primero era el más alto de los tres, rostro lleno de pecas, sonrisa muy expresiva, delgado como un sarmiento. El segundo era todo lo contrario: bajo y un poco redondo, cabello bastante largo, mirada penetrante. Curiosamente, los tres eran amigos. Siempre andaban metidos juntos en todos los líos, buenos y malos.

Felipe Romero por fin dejó la hoja de papel que estaba leyendo y los atravesó con su mirada más penetrante.

—Bueno —suspiró.

Eso fue todo. Siguió la mirada. Primero en dirección a Adela. Luego en dirección a Luc. Por último en dirección a Nico. No era mal profe. Lástima que diera… matemáticas. El Fepe era el único que les llamaba por sus nombres de pila, no por el apellido. Y el único que aceptaba lo de Luc en lugar de Lucas en atención a que Lucas era un fan de *Star Wars*. Otros preferían apodarle el Skywalker, pero en plan burlón.

—¿Qué voy a hacer con vosotros? —preguntó en voz alta.

—¿Qué tal dejarnos ir al patio? —propuso Nico.

El profesor ignoró el comentario.

—Sabéis por qué os he hecho quedaros, ¿verdad?

—Tenemos una vaga idea —reconoció Adela.

—Sois los tres únicos de la clase que vais a suspender la asignatura.

—Pues vaya noticia —bajó la cabeza Luc.

—¿Y no os da rabia?

—Rabia sí, claro.

—No lo hacemos aposta.

—¿Qué quiere que hagamos?

Los tres hablaron al mismo tiempo.

—¿Y os resignáis? —se extrañó Felipe Romero.

—No —dijo Adela.

—Pero si no nos entra..., no nos entra —manifestó Nico.

—Ya lo intentamos, ya —aseguró Luc.

—Vamos, chicos, vamos —el profesor acabó poniéndose en pie—. No puedo creerlo. Si fuerais tontos o no dierais más de sí, lo entendería, pero vosotros tres... He visto vuestras otras notas, ¡y todas son bastante buenas por lo general! ¿Qué os pasa con las matemáticas? ¿Que no os entran? ¡Tonterías! Les habéis cogido manía y ya está. ¡Las odiáis! De acuerdo, odiadlas si queréis, pero no me digáis que no las entendéis. Es una cuestión mental. ¡Os negáis a entenderlas, que no es lo mismo!

—Que no es tan fácil, profe —dijo Luc con dolor.

—Sí lo es, Luc, y lo sabes tú como lo sabe Adela y lo sabe Nico. Todo está aquí —se tocó la frente con el dedo índice de la mano derecha—. Si quisierais, podríais, pero os limitáis a decir que no os entran, que no es lo vuestro, que si patatín y que si patatán, y ya está.

—¿Usted cree que no queremos aprobar como sea? —exclamó Nico.

—¿Sabe la bronca que me echarán mis padres? —se estremeció Adela.

—¿Y el verano que me harán pasar los míos, con profes particulares y todo ese rollo? —gimió Luc.

—¡Pues evitadlo! —gritó Felipe Romero.

Pegaron sendos brincos en los asientos.

—Chicos, chicos, ¡chicos! —el maestro se acercó a los tres y se sentó encima de un pupitre—. Las matemáticas son esenciales. Después de la lengua, lo más importante. Y que conste que soy de los pocos profes de mates que reconocen eso, porque la mayoría os dirá que lo principal son las matemáticas. Yo pienso que sin saber leer ni escribir primero decentemente, no hay matemática que valga. Pero da igual: son esenciales. Os ayudan a pensar, a racionalizar las cosas, a tener disciplina mental. ¿Vosotros leéis?

—Sí —dijo Adela—. Yo me trago todas las novelas policiacas que pillo, y casi siempre adivino quién es el asesino antes del final.

—Yo soy fan de la ciencia ficción y la fantasía —le recordó Luc—. Me leo todas las historias que encuentro.

—Y lo mío son los cómics —quiso dejarlo bien sentado Nico—. Aunque también soy bastante bueno con los videojuegos.

—¡Pues las matemáticas son como todo eso! —insistió Felipe Romero—. Una buena novela policiaca va dando pistas, como un problema de mates, y llega a un único final posible: el culpable. Y lo mismo pasa con la ciencia ficción y no digamos los videojuegos. Si tu mente es capaz de trabajar a la velocidad necesaria para llegar al final de un videojuego, es que estás capacitado para resolver cualquier problema de matemáticas.

—No es lo mismo —negó Nico.

—¡Os asesinaría! —levantó las manos al cielo—. ¡Pero mira que sois tozudos!, ¿eh? ¿Y vuestro orgullo?

No dijeron nada.

—¿No os importa ser los tres únicos que suspendáis matemáticas? —siguió el profesor tratando de provocarles.

Siguió el silencio.

—¿Sabéis que pueden echarme por eso? —soltó de pronto Felipe Romero.

—¿Por qué?

—Por ser mal profesor.

—Ande ya.

—Que sí —insistió él—. Estoy en la cuerda floja. El director dice que mis métodos no son... ortodoxos. Con tres suspensos de dieciocho alumnos me la cargo. Es una sexta parte.

—No es justo.

—Díselo a Mariano Fernández.

—¿Encima quiere que nos sintamos mal porque pueden echarle? —se entristeció Adela.

—Pues sí —la pinchó.

—¡Jo! —rezongó ella.

—Mañana es el examen —les recordó sin que hiciera falta—. Por favor, estudiad esta noche, tratad de hacerlo sólo un poco bien para que pueda justificar un cinco pelado. No me vengáis con que no lo entendéis, os bloqueáis, se os queda la mente en blanco y todos esos rollos. ¡Haced un esfuerzo!

Era una bronca. Felipe Romero les hablaba con pasión y convicción. Podían entenderle. Lo malo era la realidad.

Las matemáticas no les entraban. Y punto.

¿Qué podían hacer contra eso?

Capítulo
(17.539.298 / 8.769.649)
2

BAJARON despacio por las escaleras, con la cabeza doblada hacia adelante y la barbilla literalmente hundida en el pecho. Ni siquiera salieron al patio. No querían responder a las preguntas de los demás. Bastante mal se sentían. Acabaron sentándose en el último escalón, con la moral por los suelos.

—No es mal tío —reconoció Adela.

—Se enrolla bien, sí —estuvo de acuerdo Nico.

—Es el mejor profe del cole, aunque sea el de mates —dijo Luc.

—Claro, por eso los demás van a por él —asintió Adela—. Es joven, guaperas, lleva el pelo largo, tiene ideas progres... Ya veis, él mismo lo ha dicho: hasta el director quiere cargárselo.

—¿Tú crees que se puede echar a un profe porque tres alumnos la fastidien? —vaciló Nico.

—Yo, de esos —abarcó el mundo en general, el de los mayores, aunque se refería estrictamente a los maestros del centro—, me lo creo todo.

—Sí, en el fondo debe ser como lo de esas pelícu-

las americanas —calculó Luc—. Si no vendes tanto o
si no llegas a unas cifras o si eres el último del cupo y
cosas así, a la calle.

—Pues vaya —suspiró aún más desmoralizada Adela.

—¿Y qué quieres que hagamos, que de pronto nos
volvamos genios de las mates? —lo expuso como un
imposible Nico.

—A lo mejor si esta noche...

—Vamos, Adela, no sueñes.

—Sí, seamos realistas, ¿vale?

Se sumieron en un nuevo, espeso y denso silencio.
Pocas veces se habían sentido más solos. El mundo entero contra ellos. Había alumnos que con sólo leer una
cosa se la sabían, mientras que otros ni estudiándola
cinco horas y pegándose los párpados a la frente con
cinta adhesiva. Había alumnos que miraban un problema y sabían qué hacer exactamente. Para ellos era un
galimatías sin sentido en la mayoría de las ocasiones.

Los profesores iban saliendo de la sala en la que se
reunían para tomar café y fumar, porque todos fuma-
ban. Mucho decir que era malo, pero ellos... ¡colgados
del vicio! Los estudiaron uno a uno teniendo muy pre-
sente a Felipe Romero.

—El Bruno lo odia —dijo Adela—. Desde que tuvo
que cambiar su clase con la de él, no lo puede ver.

—La Jacinta ni en pintura. Dice que está loco por
la forma que tiene de ser, de vestir y de hablar —expuso Nico—. Pero quién sabe, a lo mejor lo que le pasa
es que está enamorada de él en secreto.

—Eres un romántico —se burló Luc. Y continuó él—: La Amalia no digamos, con lo adicta que es de las normas, del plan de estudios, del libro, de no cambiar nada.

—No sólo le odian algunos profes —recordó Adela—. Su ex novia también, ¿recordáis? Y el Palmiro.

El año anterior, Felipe Romero y Marta Luz, la de sociales, habían estado enrollados. Ella consiguió plaza en un centro mejor y, cuando él le dijo que prefería quedarse en el que estaba y no pedir ningún cambio aunque podía, Marta le gritó que estaba loco por escoger el colegio y no a ella, así que lo plantó llamándole monstruo y otras lindezas. En parte eso justificaba mucho al profe de mates. Los quería. Para él, aquél era «su» colegio. Lo del Palmiro era otra cosa. Se trataba de un alumno de lo más bruto, siempre metido en líos, detenido ya dos o tres veces por la policía por robar cosas y uno de los peores elementos «disruptores» —como los llamaban los profes— del centro. Cuando el Fepe lo suspendió, amenazó con pincharle las ruedas del coche, hacerle pintadas en su casa y también algo peor: aseguró que un día le caería encima un andamio y no sabría de dónde.

—Dicen que ser periodista y profe es de lo más duro —proclamó Luc.

—Sí, la mayoría están de psiquiatra —afirmó Nico.

—Entonces, ¿por qué deben serlo? —se preguntó Adela.

—Por masocas, seguro —sonrió por primera vez Luc.

—Les va la marcha —le secundó Nico.

—Tuvieron una infancia difícil y ahora quieren vengarse —hizo lo propio Adela.

No estaban muy seguros de lo que decían, pero se sintieron confortados por sus teorías.

—Ya es la hora —volvió a la dura realidad Nico.

—No quiero aguantar las preguntas de los demás, volvamos a clase —propuso Adela.

—Qué remedio —exclamó Luc.

Se levantaron, pero no fueron por las escaleras hacia arriba. Sin decir nada caminaron en dirección a los lavabos de la planta baja envueltos de nuevo en su silencio. En su trayecto pasaron cerca del despacho del director, Mariano Fernández. Hasta ellos llegaron unas voces.

Aminoraron el paso.

Una era la del profe de mates. La otra pertenecía al propio director del centro.

—¡No, Romero, no! ¡Lo siento! ¡Es mi última palabra! —decía Mariano Fernández.

—No puede hacerlo, ¿es que no se da cuenta? —insistía Felipe Romero.

—¿Que no puedo? ¡No sabe hasta dónde soy capaz de llegar yo! ¡Las cosas son así!

—Pero no es justo.

—¡Romero, ésta no es su guerra! ¡Le juro que...!

Estaban como hipnotizados, pendientes de aquella insólita discusión, ¿o cabía llamarla pelea? Tenían los pies pegados al suelo. Lo malo fue que en ese mo-

mento aparecieron dos profesores por el pasillo, y ellos estaban en zona peligrosa. A los aledaños del despacho de dirección y la sala de profesores los llamaban «las arenas movedizas». Cualquier profe podía salir y pegar un grito sin más, o cargárselas por algo. Tuvieron que reaccionar.

Se apartaron del lugar en que podían oír las palabras de los dos hombres. A toda prisa.

—¡Jo! —pronunció Adela su expresión más habitual.

—Pobre Fepe —alucinó Nico.

—Y el dire, ¿de qué va? —se extrañó Luc.

—¿Sabéis lo que más me asusta? —dijo Nico.

—No, ¿qué? —se interesó Adela.

—Que todo el mundo dice que cuando crezcamos y seamos mayores y maduremos y todo ese rollo... seremos como ellos —suspiró Nico.

Se observaron con aprensión. Unos segundos.

—No —acabó poniendo cara de asco Adela—. Yo no creo.

—Ni yo —movió la cabeza de arriba abajo Luc—. Nosotros no.

—Bueno —Nico se encogió de hombros.

Después de todo, faltaba una eternidad para eso.

Y antes, al día siguiente, estaba el dichoso, odiado, preocupante y funesto examen de matemáticas.

Eso sí era real.

Capítulo
(¿Cuántas ruedas tiene un triciclo?)
3

A cuadros. Era peor de lo que se había imaginado en su sueño más pesimista. Estaba a cuadros.

Adela levantó la vista de las preguntas. Había respondido sólo a dos. Eso era un cuatro. Miró en dirección a Nico, que estaba a su lado, y también hacia Luc, detrás de Nico. Los dos tenían la misma cara de angustia, de dolor de estómago recalcitrante, de mareo intenso, tez pálida, congestión ocular, cara de pasmo, como si aquello no pudiera ir con ellos. Contemplaban sus exámenes absortos.

Tal vez esperando un milagro.

En las novelas policiacas siempre aparecía una pista de última hora, un dato perdido que conducía directamente al culpable. En los libros de ciencia ficción todo se solucionaba con una batalla galáctica aquí o una invasión de alienígenas buenos allá. En los de fantasía, el mago de turno o el héroe de siempre lo solucionaba todo cuando más perdido parecía. En los cómics no fallaba una. Y en los videojuegos, siempre había un camino, o tres vidas con las que conseguirlo, o cualquier invento, atajo o truco para completar la partida.

Sólo en la vida real, y más aún en la dura realidad de las matemáticas, si no se sabía resolver un problema, no se sabía y punto. No había que darle más vueltas.

Adela suspiró. Dejó de contemplar a sus dos amigos y levantó la cabeza. Se encontró con los ojos de Felipe Romero. Eso la hizo empalidecer. Si pudiera resolver un problema más. Sólo uno.

—Cinco minutos —avisó el profesor de matemáticas.

Cinco minutos. O cien, ¿qué más daba?

Leyó el enunciado de uno de los problemas. O estaba en blanco o no lo entendía o lo intentaba y se perdía...

—¡Maldita sea! —rezongó.

Marcelina Sanjuán y Bernabé de Pedro se levantaron para entregar sus exámenes. Los primeros. Como siempre. Les sobraban cinco minutos y encima tendrían las notas más altas. ¡Qué suerte! Claro que el padre de Marcelina era físico nuclear. Seguro que eso contaba, al menos en los genes. Bernabé, en cambio, es que era así de listo. Un cerebrito.

Su único y lejano consuelo era que incluso Einstein había sido malo en matemáticas.

Pasaron los minutos finales.

—Venga, recoged —anunció Felipe Romero.

Comenzaron a levantarse todos, excepto un par que siguió escribiendo a toda prisa y ellos tres. Nico y Luc la miraron. No hacía falta decir gran cosa. Si al menos uno aprobara...

—Vamos, vamos —los apremió el profesor.

Se pusieron en pie los últimos, caminaron hasta la tarima y la mesa, y depositaron sus exámenes encima del montón de hojas escritas. Rehuyeron los ojos del maestro, pero sintieron su mirada fija en sus cuerpos. Cuando salieron fuera no se detuvieron para enfrentarse a las preguntas de los demás, que discutían sobre el tercer problema o el resultado del cuarto, unos dando saltos por el éxito y otros lamentando el error cometido al darse cuenta ahora del detalle no apreciado. Ninguno habló hasta llegar abajo y ninguno cometió la torpeza de preguntar: «Qué tal».

—¡Jo! —se dejó llevar por los nervios Adela.

—En blanco, me he quedado en blanco con ese dichoso tercer problema. ¡Y creo que lo sabía resolver, pero...!

—A mí me ha pasado lo mismo —le dijo Luc a Nico—. Si es que no puedo. Yo del dos más dos no paso, y me importa un pito que sean cuatro o veintidós. ¿De qué sirven los quebrados en la vida real, a ver?

—¿O saber cuánto mide el radio de una circunferencia? —lo apoyó rotundo Nico.

—Estamos cateados, eso sí es un hecho —puso el dedo en la llaga Adela.

—Vamos a pasar un verano genial —se estremeció Luc.

—Y en septiembre estaremos igual —se dejó llevar por el abatimiento Nico.

—¡Toda la vida intentando aprobar este examen!

Las palabras de Adela fueron como un agujero negro que los devoró, arrastrándolos hacia la oscuridad total. Como tres almas en pena salieron del colegio y echaron a andar hacia sus casas, las tres en el mismo barrio y en la misma dirección. Lucía el sol, pero los nubarrones de su ánimo eran lo suficientemente espesos como para no dejarles ver nada. La vida era un redomado asco. Y más la del estudiante cateado.

—Ahora mi padre me preguntará cómo me ha ido —gimió Luc.

—Toma, y el mío —manifestó Nico.

—Y el mío —corroboró en último lugar Adela.

—No sé por qué se empeñan tanto en lo de las matemáticas —siguió Luc—. Mi tío Federico no sabe ni sumar, pero está forrado. Los números se los llevan los contables y los administrativos, que para eso están.

—Pues ya me dirás para qué me van a servir a mí las matemáticas si quiero ser periodista —dijo Adela.

—Desde luego son... —se quedó sin palabras Nico.

A mitad de camino estaba el solar. Era un gran espacio derruido en el que se decía que iban a construir un multicine y un aparcamiento y tal vez un centro comercial. Se decía. Lo cierto era que llevaba así muchos años, desde antes de nacer ellos tres. Y a falta de un parque cercano, porque el más próximo estaba a diez minutos al otro lado del colegio, les servía como punto de reunión y juegos.

Se metieron en él y se sentaron en sus respectivas piedras. No tenían muchas ganas de llegar a casa.

—Si por lo menos pasáramos el verano juntos —fue la primera en hablar Adela.

A ella se la llevaban sus padres al pueblo, en la sierra. Luc se marchaba a la playa. Nico era el único que no se movía.

—Me pondrán de profesor de verano a un impresentable pedante y estúpido que babea por el culo de mi hermana y se hace el notas, fanfarroneando lo que puede para impresionarla a ella y a mis padres —se hundió Luc—. Y cada tarde, mientras los demás están jugando o en la playa o leyendo o lo que sea, yo a pringar.

—A mí me dará clases mi prima, que aún es peor —le secundó Nico—. Es una pava que no veas, creída y tonta del copón —dijo tonta alargando la o con generosidad.

—Conmigo no sé lo que harán —reconoció Adela—. No estamos sobrados de dinero, y me parece mal que mis padres tengan que gastárselo por algo así, porque parezco tonta. Empiezan con lo mismo que el profe —cambió de tono y se puso a gemir diciendo—: ¡Oh, la nena, con lo lista que parece, porque tonta no es!, ¿verdad? —se recuperó y agregó—: Los mataría. Me ponen enferma.

Dejaron de hablar. No querían quejarse más. Pero tampoco tenían ganas de jugar a nada. El mundo era un inmenso erial sin atractivos. El que hubiese inventado las matemáticas tenía que ser por fuerza un amargado, un viejo cascarrabias sin nada de provecho que hacer, uno que odiase a la humanidad entera, y más aún a los niños, porque a ver: ¿quiénes estudiaban matemáticas, los mayores? ¡Ah, no, los niños y sólo los niños! ¡Para fastidiar!

Y aún decían que eran estupendas y divertidas y...

Estaban pensando esto mismo los tres, al alimón, sintonizados mentalmente, cuando vieron el coche de Felipe Romero en la calle, circulando a velocidad muy reducida y con él asomado a la ventanilla. Parecía como si los buscase. Y al verlos, detuvo el vehículo.

—Oh, no —musitó sin apenas voz Nico.

El profesor de matemáticas bajó del Galáctico, aunque también lo llamaban el Odisea. El motivo era simple: además de las letras de rigor, el número de la matrícula era 2001, como la película de Stanley Kubrick, *2001, una odisea del espacio*. Y es que, encima, el coche se las traía. Era más viejo que Matusalén, un modelo de treinta años atrás, de cuando empezaron las combinaciones de letras y números en las matrículas.

—¿Habremos aprobado y viene a decírnoslo?

Adela y Luc miraron a Nico. Ni en su más desaforado optimismo podían imaginar tal milagro.

Aunque, desde luego, el maestro tampoco tenía aspecto de querer hurgar más en su herida.

Contuvieron la respiración hasta que llegó a su lado.

Capítulo
(16 x 1 – 12 x 1)
4

HOLA.

—Hola —dijeron los tres aún expectantes.

—Pasaba por aquí y os he visto, así que...

Era mentira, les estaba buscando.

—Tenemos tres dieces y viene a hacernos la pregunta final para matrícula —logró parecer animado Nico.

Felipe Romero no dijo nada.

—¿Puedo sentarme? —inquirió.

—Claro.

Había piedras de sobra, así que escogió la más alta, que estaba casualmente situada frente a los tres. Unió las dos manos sobre las rodillas y los contempló con los labios plegados.

—Señor, Señor —suspiró profundamente.

Adela, Luc y Nico se envararon.

—¿Qué... pasa? —quiso saber ella.

—Habéis estado casi bien, ¿sabéis?

—¿Cómo que «casi» bien? —levantó una ceja Luc.

—Pues que tenéis un cuatro con dos, un cuatro con cinco y un cuatro con siete. A eso me refiero.

—¿Ya ha corregido los exámenes? —se extrañó Nico.

—Los vuestros sí.

—O sea, que hemos palmado igualmente. Por poco, pero... hemos palmado —convino Luc.

—Una pena —les dijo resignado Felipe Romero.

—Ya.

—En serio, lo digo de corazón.

—Pero no va a redondear las notas a cinco —tanteó Adela.

—No, eso no, claro.

—Entonces...

—¿Cómo fallasteis el tercer problema, Santo Dios? No me digáis que no lo sabíais resolver.

—Si no lo hicimos, es que no lo sabíamos —se defendió Adela.

—¿Lo intentasteis?

—Sí —dijeron los tres a la vez.

—¡Pues no puedo creerlo! ¡Ya sé que me diréis que os quedasteis en blanco, pero...! ¡Por todos los planetas, es increíble! ¡Dimos eso en clase hace dos semanas!

—No era lo mismo.

—¡Sí era lo mismo, Luc! —gritó el profesor—. Con otras palabras, otra clase de pregunta y problema, pero la misma resolución. Es lo mismo dos por tres que tres por dos.

—Somos burros, vale —bajó la cabeza Nico.

—¡No sois burros! ¡Lo que pasa es que os dejáis llevar por el pánico, invadir por el miedo, abrumar por el odio hacia las matemáticas y perdéis la perspectiva!

—¿Qué perspectiva? —comenzó a protestar Luc.

—¡Que las matemáticas son un juego!

—¡Ande ya, profe! —se enfadó el mismo Luc.

—¡Oh, sí, un juego encantador! —dijo Adela.

—Si fallo en un videojuego, nadie me suspende ni me amarga la vida —apostilló Nico.

—¡Pero vosotros no le dais ninguna oportunidad, os cerráis y punto! —siguió medio gritando enfático el maestro—. Os formulan un problema y como no lo veáis al momento..., se acabó. ¿Qué pasa? ¿Tan difícil es pensar un poco? Si lo vierais como el juego que es, os acabaría gustando. ¿Qué os digo siempre?

—Que entender la pregunta ya es tener el cincuenta y uno por ciento de la resolución del problema —exhaló Adela.

—¡Exacto! Hay preguntas con trampa y preguntas sencillas, preguntas que ya te dan la respuesta y preguntas que parecen tan complicadas que con sólo eliminar lo que sobra ya te dejan el problema igualmente resuelto. ¡Pero hay que esforzarse un mínimo, leer el enunciado despacio y luego ir a lo sencillo, lo práctico! Un ejemplo: un caracol, una tortuga y una liebre hacen una carrera. Cuando los tres han recorrido un kilómetro, ¿quién ha avanzado más?

—La liebre —dijo Nico sin pensárselo dos veces.

El profesor lo miró con intención.

—Si han recorrido los tres un kilómetro..., es lo mismo. Nadie ha hablado del tiempo que han tardado —recapacitó Adela.

—Exacto. ¿Lo veis?

—¿No cree que, si fuese tan fácil, nadie odiaría las mates y todo el mundo las aprobaría como si nada? —le retó Luc.

—No es fácil, pero lo repito: el problema es que un solo árbol delante de las narices os impide ver el bosque que hay detrás. ¿Queréis que os ponga unos ejemplos?

—¿Más mates, profe? —se angustió Nico.

—No serán matemáticas, os lo prometo. Sólo unos juegos con números para demostraros lo que os digo.

No esperó a que le dijeran ni que sí ni que no. Los tenía acorralados. Pero, además, en su fuero interno se daban cuenta de algo muy importante: Felipe Romero, el Fepe, el profe de mates, estaba allí por ellos, por sus tres cates. Todavía peleaba por sus aprobados.

Otros les cateaban y adiós. Ni se molestaban. Él no.

Felipe Romero ya tenía en las manos una libreta y un bolígrafo. Comenzó a escribir a toda velocidad en una hoja de papel. Luego se la puso delante de los ojos.

—Rápido, en un segundo, ¿cuál es la solución de esta multiplicación?

35.975.021 x *33* x *12.975.123.399* x *2* x *679* x *1.111* x *0* x *19.555*

—¿En un segundo? —se quedó boquiabierto Luc.

—¿Está loco o qué? —alucinó Nico.

—¡Eso es imposible! —protestó Adela.

—¿De verdad? —los miró sosteniendo aún la hoja ante sus ojos—. ¿De verdad es imposible? ¿Os dais cuenta de que sólo veis lo que queréis ver? Como hay muchos números... ¡Hala, es imposible! Pues no señor, ¡no señor! La respuesta se obtiene en un segundo, y es cero.

—¿Cómo que es cero?

—No puede...

—Hay un cero ahí, casi al final —suspiró Adela comprendiendo de pronto—. Da lo mismo que multipliquemos millones por trillones. Sea lo que sea, multiplicado por cero es siempre cero.

Nico y Luc se dieron cuenta del detalle.

—¿Qué? —plegó los labios triunfal Felipe Romero—. Es un juego, pero lo habéis despreciado y os habéis rendido sin leer todo el enunciado. De haberlo hecho, habríais visto ese cero. No queréis jugar, no queréis darle ninguna oportunidad a vuestra cabeza. Voy a poneros otro.

Dibujó un ocho muy grande y les preguntó:

—¿Cuál es la mitad superior de ocho?

8

—Cuatro —dijo Luc.

—No puede ser tan sencillo —frunció el ceño Adela.

—Ha dicho la mitad superior —recordó Nico.

Miraron el ocho atentamente.

—Eso no son mates —comenzó a inquietarse Luc.

—¡Olvidaos de las mates! ¡Jugad! ¡Vamos!

Se esforzaron otros diez segundos.

—Nos rendimos —suspiró Adela.

—La mitad superior de ocho es cero. Así, lo veis.

Pasó una raya horizontal por en medio del número, dividiéndolo en dos ceros.

$$- - \frac{O}{O} - -$$

Adela, Luc y Nico soltaron el aire retenido en sus pulmones. Ya ni protestaron.

—¿Cuál es el tercio y medio de 100?

—¿Qué?

—Ya lo habéis oído. El tercio y medio de 100.

—Ni idea —reconoció Nico.

—¿Queréis el papel y el boli?

—Profe...

—El tercio y medio de 100 es 50. Cualquier tercio y medio de cualquier cifra es la mitad de esa cifra. El tercio y medio de 80 es 40, y el de 62 es 31. Podéis quedaros con cualquiera proponiéndole esos juegos.

—Eso no son juegos —negó Adela.

—¿Qué te apuestas a que sí?

—A mí me encantaría fastidiar al estúpido que babea por mi hermana y que va a darme clases este verano por culpa del cate —sonrió Luc animándose.

—Y a mí a mi prima, la pava, no te digo —hizo lo propio Nico.

—Podéis pillarles. Una adivinanza no es otra cosa

que cálculos de aritmética. Tomad nota —consiguió interesarles, porque los tres prestaron atención, ya capturados por su entusiasmo—. Puedo acertar cualquier número que penséis. Cualquiera.

—Eso no es posible —vaciló Nico.

—Vamos a verlo. Piénsate un número.

—Ya está —dijo Nico.

—Duplica ese número.

—Ya.

—Súmale dos.

—Ya.

—Divídelo por dos y dime el resultado.

—Cinco.

—Entonces el número que has pensado inicialmente es el cuatro.

—Ahí va —se quedó boquiabierto Nico.

—¿Era el cuatro? —preguntó Luc a su amigo.

—Sí.

Miraron a Felipe Romero con las cejas subidas.

—¿Cómo lo ha hecho?

—Tenéis que ser mentalmente rápidos, pero no es complicado. Primero le he pedido que duplique el número, o sea, que lo multiplique por dos. Imaginemos que ha pensado el siete. Vale, pues siete por dos son catorce. Le he dicho que le sume un número, en este caso el dos. Catorce más dos son dieciséis. Luego le he pedido que lo divida por dos. Dieciséis dividido por dos son ocho. A ese ocho, que es lo que no le he dicho a Nico, hay que restarle mentalmente siempre la mitad del número que le he pedido que sumara después de duplicarlo. Como le he dicho que sumara dos, la mitad es uno. Ocho menos uno es siete.

—Qué fuerte —reconoció Luc.

—Pero la clave siempre está en el número que tú le digas que agregue. Ésa es la trampa. Si le digo que sume dos, he de restarle uno al que él me responda tras las operaciones.

—Me lo voy a apuntar —dijo Nico.

Le cogió el papel y el bolígrafo y anotó:

Pedir que duplique el número.
Pedir que lo aumente en dos.
Pedir que divida el resultante por dos.
Preguntar qué número ha obtenido.
Y deducir la mitad del que ha aumentado, o sea,
    uno.

—También puede hacerse de otra forma. ¿Os interesa? —continuó el profesor.

—Sí, sí —dijeron los tres.

—Piensa un número, Adela.

—Ya está.

—Triplícalo.

—Vale.

—Si el número resultante es par, divídelo por dos. Si es impar, lo mismo, pero entonces quédate con la cifra mayor.

—No entiendo...

—Si tienes veintinueve, no puedes quedarte con catorce y medio, sino con catorce y quince. O sea, que te quedas con el quince, que es el mayor. Réstalo del número triplicado.

—Ah, ya.

—Has de decirme si era par o impar.

—Era par.

—Vale. Ahora multiplica el resultado por tres.

—Ya.

—¿Cuántas veces está comprendido el nueve en ese número?

—Hay que dividirlo por nueve, ¿no? Pues... ya está.

—¿Sobran decimales?

—No.

—¿Qué numero te ha dado?

—El cuatro.

—Pues el tuyo era el ocho.

—¡Jo! —se maravilló Adela.

—Si me llegas a decir que hay decimales, entonces habría tenido que agregarle un uno.

—No lo entiendo... —dijo Luc.

—Te lo voy a escribir, ¿de acuerdo? Imagina que has escogido el nueve.

Y anotó en el papel:

Triple de 9 . . . . *27*
Dividido por dos, al ser impar, la mitad mayor . . . *14*
Al 27 se le resta 14 . . . . *13*
El 13 se multiplica por 3 . . . . *39*

El 39 se divide por 9 . . . . *4 y pico*
Se pregunta este número al que ha pensado el primero y, al decir 4, se duplica y da 8, pero, como había un pico sobrante en la última operación, se le suma uno. El resultado es el 9 que había pensado. Si hubiera sido par el número pensado bastaría con duplicar el número resultante de la última operación ya que no habría ningún pico.

—¿Qué os parece?

—Muy bueno, oiga —aseguró Adela.

—Como que podéis quedaros con el personal si lo perfeccionáis. No fallaréis nunca y creerán que sois unos grandes adivinos. De momento empezad por el primero, el que arranca duplicando el número pensado. Es más sencillo que el del triplicado teniendo en cuenta lo del par e impar y lo del pico final. Pero si lo ensayáis...

—Es muy chulo —Adela estaba maravillada—. ¿Conoce más trucos de éstos?

—Si guardas en una mano un número de monedas par y en otra un número impar, puedo adivinar siempre cuál está en cada mano, sin fallar.

—¿Cómo?

—Te hago multiplicar el número de monedas que tienes en la derecha por dos, y el de la izquierda por tres, o sea, uno par y el otro impar. Después hago que sumes los dos resultados y que me digas el total. Si el total es impar, el número par de monedas está en la mano derecha y el impar en la izquierda. Si el total es par, al contrario.

—¿En serio?

—Imagina que tenías ocho en la derecha y siete en la izquierda. Dos por ocho, dieciséis. Tres por siete, veintiuna. Dieciséis más veintiuna, treinta y siete. Impar. Luego el número de monedas par estaba en la derecha y el impar en la izquierda. Ahora hazlo al revés.

Adela hizo los cálculos con nueve monedas en la derecha y ocho en la izquierda.

—Dos por nueve, dieciocho. Tres por ocho, veinticuatro. La suma es... cuarenta y dos. O sea, que había número par en la izquierda e impar en la derecha.

—Muy bien.

—¡Fantástico! —abrió la boca aún más que los ojos Adela.

—Vale, esto ha sido un juego y muy fardón —aceptó Nico—, pero lo demás no lo es.

—Todo es un juego —insistió Felipe Romero—. O al menos hay que tomárselo así —y dijo rápido—: Escríbeme en un cuadrado de tres por tres los números del 1 al 9 de forma que sumen siempre 15 en horizontal, vertical y diagonal.

—Eso lo haría, pero con paciencia, seguro.

—Es más sencillo de lo que parece —comenzó a dibujar los cuadrados en el papel—. Hay que poner los números impares formando una cruz con el 5 en el centro, y luego repartir los cuatro pares. También hay que tener en cuenta otro detalle: si el 1 va abajo, el 2 irá en otra línea y el 3 en otra más, y lo mismo el 7, el 8 y el 9. En fin, vedlo:

4	9	2
3	5	7
8	1	6

Sumaban 15 por todas partes, horizontal, vertical y diagonalmente.

—Vale, eso no hace más que demostrar lo burros que somos —insistió Nico, que parecía el más deprimido ahora.

—No, ¡no! Sólo quiero demostraros que todo tiene su truco en el enunciado, en el desarrollo, en... Es como aquella adivinanza que dice: «En este banco hay un padre y un hijo. El hijo se llama Pepe y el padre ya te lo he dicho». Repites despacio el enunciado y ¿qué tienes?: «En-es-te-ban...» ¡Esteban! En serio, Nico. Es fácil cuando se le pilla el truco. Habéis estado a un pelo de aprobar. Y casi estoy por daros una segunda oportunidad.

—¿Lo haría? —saltó Adela.

—Otro fin de semana estudiando para nada —se abatió Nico.

—Mejor un fin de semana que todo el verano, burro —le dijo Luc.

Nico no tenía ni ganas de pelea.

—Si sólo habéis suspendido matemáticas, cosa que sabré mañana en la reunión de profesores para examinar las notas, podría hacerlo, sí.

—No vale la pena, pero gracias —insistió Nico.

—¿Vais a rendiros? —los miró como si no pudiera creerlo—. ¿Una que lee novelas policiacas, otro que lee ciencia ficción y un mago de los videojuegos? ¿Habláis en serio? ¿Sois de verdad así de cagados?

Los había llamado cagados.

Felipe Romero se levantó.

—Mañana os digo algo. Y no admito un no por respuesta. Son vuestras notas, ¿vale?

Luego dio media vuelta y se alejó de allí en dirección a su coche, dejándoles absolutamente planchados.

Capítulo
(¿Qué hora es los 2/3 de los 3/4 de los 5/6 de las 12 de la noche?)
5

AQUELLA noche Adela empezó a leer una novela policiaca. Llevaba veinte páginas cuando puso cara de fastidio.

—El asesino es el tal Jones, seguro —rezongó.

No supo si leer la novela entera, viendo lo previsible que era, o si mirar directamente el final y, si acertaba, pasar de perder el tiempo. Como seguía deprimida por lo de las matemáticas hizo esto último.

Miró el último capítulo. El asesino era Jones.

—Lo sabía —suspiró.

Dejó el libro a un lado y se asomó a la ventana. Su padre estaba a punto de llegar y lo primero que haría sería preguntarle por el examen de matemáticas. ¿Qué le diría?

Estaba segura de haber aprobado el resto de las asignaturas. Si el Fepe cumplía su palabra y les daba una segunda oportunidad para redondear aquellos dichosos cuatros...

A lo mejor un día se acordaba con simpatía de sus casi trece años. A lo mejor. Pero lo que era ahora...

Frente a su casa, en la esquina, vio la luz de la habitación de Luc encendida. Lo imaginó haciendo lo mismo que ella: devorando una novela de ciencia ficción.

Pero no, Luc no leía en ese momento una novela de ciencia ficción, sino de fantasía. Un mundo imaginario poblado de seres extraordinarios se enfrentaba con la amenaza de un eclipse que congelaría el gran lago de la capital en segundos. Llevaba apenas treinta páginas de la historia.

—Construyen un espejo en lo alto de un monte lejos del eclipse, porque un eclipse no es total en todas partes, y envían los rayos solares reflejados hacia la ciudad para mantener caliente el lago.

Si tenía razón, el libro perdía interés. Y si no lo tenía...

Le costaba cada vez más encontrar buenas novelas de ciencia ficción y fantasía.

No estaba de humor para aguantar novelas idiotas, así que buscó el final directamente, arriesgándose según su instinto. No tardó en hallar la frase: «Gracias al monumental espejo construido en la cima de Pico de Gash, los mireianos pudieron salvarse y...»

—Si es que estaba chupado —cerró el libro, mitad orgulloso, mitad cansado, y agregó—: ¿Por qué no puedo ver las mates tan claro como veo todo lo demás?

La vida de un estudiante era un asco.

Alguien llamó a la puerta de su habitación y se puso en pie de un salto sentándose en su mesa de trabajo, en la que había un libro escolar abierto.

—¿Sí?

Su padre entró.

—¿Qué tal el examen de matemáticas? —le preguntó sin ambages.

—No sé. Justito, como siempre. Puede pasar cualquier cosa.

El hombre plegó los labios.

—¡Ay, Señor, Señor! —abatió sus hombros.

Cerró la puerta de nuevo, sin más, y lo dejó solo.

Luc pensó en Adela y en Nico.

Precisamente Nico estaba jugando con un videojuego que le había prestado su vecino. Era bastante sencillo, pero, como no lo conocía, todavía andaba luchando con los esqueletos del mundo de ultratumba para conseguir almacenar armas y talismanes con los que avanzar hasta el final. Ya le habían matado una vez.

En ese instante aparecieron dos esqueletos por la derecha, dio un salto atrás, chocó con la pared... y ésta se lo engulló sin dejar rastro.

Era otra trampa. Estaba muerto. Vuelta a empezar.

Una oportunidad más. Siempre.

Recordó a Felipe Romero.

—Vais a ver, sacos de huesos —se enfadó con su propia inexperiencia teniendo en cuenta lo simple que era el juego.

Pero seguía pensando en el examen de matemáticas y en la posibilidad de que el Fepe les diera una segunda oportunidad. Tal vez eso lo cambiara todo.

¿Quién dijo aquello de que en la vida lo último que se pierde es la esperanza?

Capítulo
(15/3 + 1/3 + 1/3 + 1/3)
6

SE reunieron muy nerviosos en el patio tras las dos primeras horas de clase. Ni rastro del Fepe. La primera reunión de profesores para comentar las distintas notas y cotejar resultados alumno por alumno ya tenía que haberse celebrado. Ahora mantenían la secreta ilusión de que fuera posible enmendar sus errores.

—No creo que nos haga un nuevo examen —dijo Luc.

—No, eso no, pero a lo mejor nos monta unas pruebas rápidas aquí mismo, como hizo ayer —consideró Nico.

—Pareces de mejor humor —sonrió Adela—. ¿Sabéis una cosa? Ayer les hice lo de adivinar el número a mis padres, ¡y no fallé ni una vez! Se quedaron pasmados.

—Yo hice lo del número de monedas par o impar —la secundó Nico—. También me salió de fábula.

—Yo le puse a mi hermana la multiplicación del cero y me quedé con ella —recordó Luc.

Parecían satisfechos de sus pequeñas victorias.

—¿Por qué no nos contó esas cosas en clase? —lamentó Adela—. ¿Por qué en clase todo son problemas, fórmulas y cosas así? Si enseñaran matemáticas jugando sería diferente, seguro.

Luc y Nico asintieron con la cabeza. Estaban de acuerdo.

Felipe Romero apareció de pronto caminando a buen paso, con el rostro animado y mucho nervio en sus movimientos. Parecía buscarles también a ellos, porque al verles levantó una mano y fue en su dirección. Los tres se quedaron sin aliento viéndole avanzar con su largo pelo ondeando al viento y su aspecto desmadejado.

—La suerte está echada —proclamó Adela, repitiendo una frase del protagonista de una de sus novelas policiacas favoritas.

Felipe Romero se detuvo frente a ellos. No dejó de exhibir su sonrisa de triunfo. Mantuvo el suspense todavía unos segundos.

—¿Qué, qué? —le alentó Adela, muy nerviosa.

—Voy a daros esa segunda oportunidad —proclamó.

—¿En serio? —se quedó pálido Nico.

—¿Hemos aprobado todo lo demás? —abrió la boca Luc.

—Sí, pero esto es un secreto entre los cuatro, ¿de acuerdo? Oficialmente yo no os he dicho nada. No puedo hacerlo.

—¿Y qué les ha dicho usted cuando le han preguntado por nuestras notas en matemáticas? —quiso saber Adela.

—Pues que anoche estaba enfermo y no pude corregir los exámenes —se resignó—. Ni que decir tiene que me han puesto a caldo.

—Se la ha jugado por nosotros —exclamó Adela emocionada.

—¿Vale la pena o no? —la interrogó el maestro.

—Desde luego es un tío legal —dijo Nico.

—Nadie ha hecho nunca algo así por mí —atestiguó Luc.

—Pues ahora depende de vosotros que la jugada me salga bien o no. ¿Queréis la segunda oportunidad?

—Sí —manifestaron los tres sin dilación.

—Os advierto que no será fácil —les previno—, pero también os digo que será lo que os dije ayer: un juego.

—¿No nos hará un examen?

—No, Adela. Los exámenes os bloquean, ¿no? Pues nada de exámenes. Esto va a ser distinto, aunque también habrá un límite de tiempo y os juro que os haré sudar la gota gorda. Nada de cinco problemas. Van a ser quince.

—¿Quince? —casi gritaron al unísono.

—Habrá ocho pruebas matemáticas y siete de ingenio, de aprender a pensar y a razonar. Si no resolvéis una prueba de ingenio, no podréis llegar a la siguiente pista y al siguiente problema. Ése es el truco. Pero, desde luego, para una experta en criminales —miró a Adela—, un experto en máquinas y batallas galácticas

—miró a Luc— y un resolutivo y rápido jugador de videojuegos —miró a Nico—, esto debería ser pan comido. Coser y cantar.

Alucinaban. Primero por lo de la segunda oportunidad, después por el entusiasmo del Fepe y tercero por lo de las quince pruebas.

O se había vuelto loco... o hablaba en serio.

Y daba toda la impresión de ser esto último.

—¿Cuándo lo haremos? —preguntó Adela.

—Mañana sábado nos veremos en el descampado a las nueve de la mañana y os llevaré la primera pista y el primer problema. He de poner el resto en las distintas partes de la *gymkhana* matemática que vais a llevar a cabo.

—¡Ay, Dios! —gimió Nico.

—¿No puede adelantarnos algo? —propuso Luc.

—Está bien —se resignó el profesor—. Venid aquí.

Fueron a un rincón del patio. Había demasiada animación en todas partes por el fin de los exámenes, la inminencia del fin de semana que empezaba por la tarde y la aún más fuerte de las vacaciones de verano a la vuelta de la esquina.

Cuando estuvieron tranquilos y apartados de todo el mundo, Felipe Romero comenzó su exposición:

—Imaginaos que me matan —dijo con una sonrisa irónica—. ¿Qué se hace en estos casos?

—Se interroga a los sospechosos —fue rápida Adela.

—¿Por qué no resolver el caso con matemáticas? A fin de cuentas todo es cuestión de ellas, además de fí-

sica y química. Sólo el asesino ha estado a la misma
hora y en el mismo lugar que el asesinado. Hay un
motivo, una emoción, una energía. Lo que os propon-
go es simple: me inventaré a alguien que quiera ma-
tarme, lo cual no es difícil teniendo en cuenta la de
gente que me tiene manía.

—Y que lo diga —apostilló Nico.

Adela le dio un codazo.

—No, no te preocupes, Adela. Nico tiene razón —se
encogió de hombros—. No podemos gustar a todo el
mundo por igual, ni caerles bien a los demás al cien
por cien. Es ley de vida —recuperó el hilo de su expli-
cación—. Así pues, una persona me asesina. Yo os
dejaré pistas en diversas partes que conozcáis para
dar con los ocho problemas matemáticos que os da-
rán las ocho respuestas de cuya combinación saldrá el
nombre de mi asesino. Es muy sencillo.

—¿Sencillo? —puso cara de espanto Nico.

—Si fallamos en una pista no daremos con el siguiente problema. O sea, que si no resolvemos la primera ya ni vamos a llegar al segundo punto —dejó
sentado Luc.

—Ése es el reto —dijo Felipe Romero.

—Pero serán sencillas, ¿no? —manifestó insegura
Adela.

—Creo que sí, pero todo depende de vosotros. Hemos pasado un curso entero haciendo esas cosas más
o menos igual —insistió el maestro—. En este caso,
sin embargo, no perdáis de vista lo esencial: jugad. No

penséis en problemas, sino en acertijos y adivinanzas. Las pistas para dar con los problemas son de pura deducción, no de matemáticas.

—Pero entonces...

—Las reglas son mías —recordó él—. ¿O creéis que porque me caéis simpáticos voy a ponéroslo fácil? ¿A cuántos conocéis que hayan tenido una segunda oportunidad para aprobar matemáticas en junio?

Eso sí era de una lógica aplastante.

Era todo o nada. Jugar o... suspender.

—Usted disfruta con esto, ¿vale? —dijo Adela con los ojos brillantes.

—Como un enano —reconoció Felipe Romero.

—La persona que le habrá matado, ¿la conoceremos? Lo digo porque a lo peor no sabemos quién es y pensamos que nos hemos equivocado y... —vaciló Luc.

—No os preocupéis por ello. No es importante, pero... sí, voy a poner a alguien que conozcáis para darle más emoción al asunto.

—El Palmiro o su ex —aventuró Nico.

Adela volvió a darle un codazo.

—¡Vale ya, tía! —se enfadó su amigo—. ¿Qué he dicho?

Sonó el timbre del final del recreo. El profesor de matemáticas se separó de su lado.

—¿De acuerdo entonces?

—De acuerdo —aceptó Luc.

Felipe Romero les enseñó todos sus dientes, de abierta que fue su sonrisa final.

Capítulo
(Mitad de 12 en números romanos)
7
$$\left(XII = \frac{VII}{\Lambda II} \right)$$

SE reunieron en el solar inmediatamente después de comer. Era viernes, cerca de las tres de la tarde. No sabían si ir a estudiar o ponerse a jugar para bajar la tensión y los nervios. No había nadie por allí, estaban solos.

—¿Qué hacemos?

La pregunta de Luc no tuvo respuesta inmediata por parte de Adela y Nico. No tenían ni idea.

Estudiar en viernes por la tarde después de acabados los exámenes haría que sus padres se preguntaran si estaban enfermos, o locos, o las dos cosas a la vez. Pero perder el tiempo cuando al día siguiente se jugaban el ser o no ser en aquella extraña competición de pruebas matemáticas y lógicas...

—¿Qué nos estará preparando? —musitó nerviosa Adela.

—Ya visteis los juegos de ayer —dijo Nico—. Eso del cero en una multiplicación, lo del tercio y medio, lo de los lados que suman quince... Seguro que se sabe un montón de trucos así.

—Pues como se nos crucen los cables, vamos listos —recordó Luc.

—¿Crees que nos vamos a bloquear los tres? —dudó Adela.

—Por lo menos estaremos juntos, tendremos tres cabezas para pensar, nada de estar sentados y con la tensión de un examen normal, y además podemos hablar, incluso ir a casa, coger el libro, los apuntes y resolver cada problema con calma —se animó Nico.

—Ha dicho algo de un límite de tiempo —insistió en ser agorero Luc.

—Vamos a ser optimistas, ¿vale? —protestó Adela—. No será sencillo, habrá trampas, pero el Fepe ha demostrado que está de nuestra parte y que es un tío legal. Si suspendemos será porque somos burros y ya está. Pero algo me dice que vamos a conseguirlo. ¡Es un juego! —abrió los brazos tratando de insuflarles ánimo.

Luc y Nico la miraron con poco entusiasmo.

—No, si jugar, jugaremos —reconoció el segundo—. Pero ganar...

Se sentaron en sus respectivas piedras.

—Bueno, venga, ¿qué hacemos? —repitió la pregunta inicial Luc.

El silencio fue la respuesta. Por lo menos durante los siguientes cinco segundos.

Ni siquiera podían imaginar que iban a ser los últimos segundos de paz en las horas siguientes.

Porque entonces apareció él. Felipe Romero.

Y comenzó todo.

—¿Qué hace ahí el profe? —se extrañó Adela.

—¿Qué le pasa? —se extrañó Luc.

—¿Por qué anda de esa forma? —se extrañó Nico.

El profesor de matemáticas avanzaba hacia ellos medio doblado hacia adelante, con el cabello aún más alborotado de lo normal, trastabillando por entre el irregular suelo del solar, con la mano derecha en el pecho. Parecía un monigote, un muñeco movido por los hijos de una mano inexperta. Iba de lado, tropezaba, se enderezaba, volvía a avanzar... Llegó a caerse una vez de rodillas, aunque se levantó casi de inmediato.

—¡Profesor! —gritó Adela.

—¿Se encuentra bien? —se asustó Nico.

—¿Le duele algo? —comenzó a preocuparse Luc.

Ya estaba cerca, a unos metros, pero ellos estaban paralizados. De pronto vieron la sangre, la enorme mancha roja y oscura que mojaba el pecho, el vientre y la parte superior de los pantalones de Felipe Romero. También vieron su rostro demacrado, su expresión de agonía, el dolor que lo inundaba como una marea dispuesta a engullírselo.

—¡Ahí va!

—¡Jo!

—¿Pero qué...?

Felipe Romero se desplomó a sus pies.

Entonces sí reaccionaron, saltaron hacia él y lo rodearon. El maestro estaba boca abajo, respirando fatigosamente. Fue Luc el que le dio la vuelta, ayudado al final por Nico. Cuando consiguieron dejarlo boca arriba, los tres se quedaron mudos por el espanto.

El profesor de matemáticas tenía tres disparos muy evidentes. Uno sobre el corazón, otro en mitad del pecho y el tercero en el estómago. La sangre manaba en abundancia con cada latido.

Se encontraron con sus ojos.

—Hola... chicos... —habló de forma muy débil.

Ellos siguieron mudos. Estaban petrificados.

—Tenía que ser... un... juego... —trató de sonreír el hombre—, y ya... veis...

Tosió, y el dolor tuvo que ser tan agudo que se dobló sobre sí mismo en un estertor agónico. Un hilo de sangre apareció ahora por la comisura de sus labios.

—¿Qué le ha... pasado? —balbuceó en un soplo Adela.

—Me ha... dis... parado.

—¿Quién?

—Mi ase... sino.

—¿Pero quién?

Felipe Romero volvió a esbozar una sonrisa.

—Chicos... chicos... —gimió—, es vuestra... oportu... nidad...

—¿De qué está hablando? —se estremeció Luc.

El malherido trató de reencontrar un poco de calma por entre su escasa vida.

—He preparado las... pruebas... —dijo—. Ya está todo... listo y a... a punto. Venía a decíroslo y entonces...

—¿Qué? ¿Qué? —lo apremió Nico al ver que cerraba los ojos como si fuera a morirse.

—Ha aparecido y me ha disparado y... Dios, es extraño... Había elegido a... a esa persona al azar... y resulta que ha sido... ha sido... ella. Preci... sa... mente... ella.

—¿Pero quién es esa persona? —gritó Luc.

Felipe Romero movió la cabeza horizontalmente.

—Tendréis que... averi... guarlo... vosotros.

—¡No fastidie, profe!

—¡Esto es un caso de asesinato!

—¡Ya no es un juego!

El profesor se encogió de hombros.

—La vida, la muerte... Todo es un juego, chicos. Puesto que... puesto que ya está todo hecho, las... prue... bas, las... pistas... todo... ¿Por qué no lo hacéis? Por mí, por voso... tros...

—¿Qué? ¿Está loco? —Luc se negó a dar crédito a lo que oía.

—He con... seguido... huir, pero... Tened cui... dado... ¡Cuidado! Si me... ha seguido... hasta aquí...

—¡Profe, profe! —Adela lo zarandeó al ver que perdía el conocimiento.

—Tenéis hasta... las seis de... las seis de la tar... de —balbuceó Felipe Romero—. A las... seis... esa per... sona... se irá.

Sus ojos bizquearon al no poder fijarlos en ninguna parte.

—¡No nos haga esa mala pasada!

—¿Cómo quiere que nos pongamos a buscar a un asesino resolviendo pruebas matemáticas y problemas de lógica con usted muerto?

—¿Quién ha sido? ¿Quién?

—Jugad... y ganad... No me falléis... Sé que podéis... y... y confío en voso... tros —exhaló el profesor—. Mirad en... mi bol... sillo. Demostrad que...

Eso fue todo.

Ladeó la cabeza y de sus labios fluyó el último suspiro.

Luc, Nico y Adela se miraron asombrados, aterrados, paralizados.

—¡Ay, la leche! —dijo Nico.

—¡Esto es una pesadilla, no puede estar pasando! —exclamó Luc con la boca seca.

—¡Señor Romero..., por favor! —comenzó a llorar Adela.

Estaba muerto. Del todo. Y loco hasta el final.

—¿Qué hacemos? —apenas si pudo hablar Luc.

—Aquí está el sobre —Nico señaló un rectángulo blanco que sobresalía del bolsillo del pantalón.

Adela seguía llorando.

—Hay que avisar a la policía. Vamos, ¿a qué esperamos? —hipó al borde de la histeria.

Luc se puso en pie. Adela le secundó de inmediato.

—¡Rápido, rápido! —instaron a Nico.

Les obedeció, pero antes, casi en un acto reflejo, alargó la mano y extrajo el sobre del bolsillo del muerto. Después sí, los tres echaron a correr en busca de la ley.

Capítulo
$(13^2 - 12^2 - 4^2 - 1)$
8

SALIERON del solar y miraron a derecha e izquierda. El barrio estaba tan vacío como siempre, y más a aquella hora. No tenían ni idea de dónde encontrar un coche patrulla de la policía, ni tampoco a quién llamar por teléfono. En las películas todo era muy fácil, pero en la vida real jamás se habían encontrado con nada igual. Estaban muy impresionados, pero también muertos de miedo. Aterrados.

—¿Qué, empezamos a correr sin más pegando gritos? —vaciló Luc.

—Nos tomarán por locos. Hay que dar con la poli —apuntó Nico.

—¿Y si nos separamos y...? —comenzó a decir Adela.

Se calló. No querían separarse.

Nico aún llevaba el sobre en la mano.

—¿Quieres guardarte eso? —se estremeció Adela negándose a verlo.

El chico dobló el sobre y se lo introdujo en el bolsillo posterior del pantalón.

Seguían en las mismas.

—¡Hay que hacer algo! —insistió Luc.

—Vamos hacia la avenida —propuso Adela.

Era una idea y la aceptaron de buen grado. Echaron a andar hacia la avenida, dos calles más allá. Tenían la vista fija en el suelo. Ninguno habló hasta que divisaron la arteria urbana y su tráfico.

—Pobre Fepe —se mordió el labio inferior Adela.

—Qué fuerte, ¿no? —jadeó Nico por el esfuerzo y el susto que aún impregnaba su voz.

—¿Pero quién querría...? —dejó la pregunta sin terminar Luc.

—¡Le ha matado la misma persona que nos había puesto de resultado final para la prueba! ¡Eso significa que en el fondo él sospechaba algo! —afirmó Adela.

—¿Pero por qué no decírnoslo? ¿Por qué pretender que descubramos nosotros al asesino? —apretó los puños Nico.

—No, lo que quería era que aprobáramos. Ha sido profe hasta las últimas consecuencias —dijo Luc—. Puesto que se había tomado la molestia de preparar todas esas pruebas, ha querido darnos la oportunidad de...

—¿De qué? ¿De ser unos héroes? Porque otra cosa... —insistió Nico.

—¡Mirad allí! —gritó Adela.

En la esquina de la avenida con la calle de la izquierda vieron un coche patrulla de la urbana. Para el caso era lo mismo. Agentes de la ley.

—¡Vamos! —echó a correr Luc.

Hicieron los cien metros en tiempo de récord mundial, cosa que a Nico le sirvió para recordar que correr no era lo suyo. Cuando asaltaron el coche patrulla, los nervios habían hecho de nuevo presa en ellos. Empezaron a hablar todos al mismo tiempo.

—¡Han matado a un hombre!

—¡Allí, en el solar!

—¡Rápido, vengan!

—¡Era nuestro profe de mates!

—¡Felipe, Felipe Romero!

—¡No sabemos quién ha sido, pero le odiaba mucha gente!

—¡Su ex novia, el Palmiro, los de la escuela, el director, algún profesor...!

—¡Tres tiros en el pecho!

—¡Ha sido terrible!

Dejaron de hablar, más bien de gritar, y de dar saltos frente a la ventanilla del coche de la urbana, cuando vieron que los dos agentes no movían un solo músculo de sus caras.

Sólo les miraban como si fueran un atajo de dementes recién escapados del manicomio.

—Oigan, ¿están sordos? —se enfadó Luc.

—Nosotros oímos perfectamente. La pregunta es si vosotros estáis de guasa o qué —le endilgó en tono poco amigable uno de los agentes.

—Ha habido un asesinato. Han disparado a un hombre tres veces. Y está allí, en el solar de detrás de esas casas —Adela señaló la dirección tras decir aquello con una insospechada calma—. Ahora, ¿van a venir con nosotros o no?

El agente del volante miró a su compañero.

—Adelante —se encogió de hombros éste.

—Subid —les ordenó el conductor.

Obedecieron. Subieron atrás y se quedaron muy impresionados por estar donde estaban. Lo malo era que si algún conocido los veía y le iba con el cuento a cualquiera de sus madres, pensarían que les habían detenido a ellos.

Menuda gracia.

La imagen del Fepe muerto les hizo recobrar el peso abrumador de la realidad.

—¿Por dónde? —quiso saber el conductor del coche patrulla.

—Por aquí —señaló Luc.

—¿Y ahora?

—A la izquierda.

No conducía con excesiva prisa. Ni siquiera había puesto la sirena. Nico estuvo a punto de recordárselo, pero prefirió no complicar las cosas. Acabarían en comisaría prestando declaración hasta Dios sabía cuándo.

—Allá —dijo Luc.

—Yo no quiero verlo otra vez —empezó a temblar Adela.

—Venga, vamos —le pidió Nico—. Estamos juntos en esto, ¿no?

El coche patrulla se detuvo frente al solar.

—¿Dónde está el fiambre? —preguntó con muy mal gusto el conductor.

—No se ve desde aquí —volvió a conducir la operación Luc.

Fueron los primeros en bajar. Los dos agentes les imitaron. Los cinco echaron a andar despacio, ellos tres porque iban recuperando el miedo de la escena anterior y la imagen destrozada de su profesor, o mejor decir ya ex profesor, y los dos agentes porque no tenían más remedio que seguirles.

El avance se hizo más y más lento.

Sobre todo al llegar a las piedras y ver, a medida que se aproximaban, la nueva e insólita realidad.

Que allí no había nadie.

—Ay... Dios —musitó en voz muy baja Adela.

—Ha... desaparecido —susurró en igual tono Nico.

—¡No estaba muerto, seguro, y se ha arrastrado...! —empezó Luc a buscar una respuesta lógica.

Llegaron hasta las piedras. Los tres buscaron lo mismo: el rastro de sangre que tenía que haber dejado el profesor al arrastrarse hacia alguna parte.

Pero allí no había ni la menor gota de sangre.

—¿Dónde está el fiambre? —repitió la pregunta el conductor.

—Estaba aquí —señaló Adela.

—Lo han limpiado, fijaos —les hizo notar Luc.

—Eso significa que... —balbuceó Nico.

—¡Significa que nos habéis tomado el pelo y que se os va a caer a vosotros! —empezó a gritar el otro agente.

Iban a echarles las zarpas encima.

Luc fue el primero en reaccionar.

—¡Larguémonos!

Adela también lo hizo, casi en una fracción de segundo. Luc ya estaba a una zancada cuando inició su carrera. Nico estuvo más torpe.

—¡Ya te tengo! —cantó triunfal el conductor al sujetarle por el cuello.

—¡Nico! —gritó Luc.

El apresado pasó un momento de pánico. Sólo uno. Se recuperó al oír la voz de su amigo. Fue como si recibiera una orden o una descarga eléctrica. Se volvió, le dio una soberana patada en la espinilla al de la urbana y, justo cuando éste empezaba a dar saltos sobre la otra pierna, aún sin soltarlo, le propinó un segundo puntapié en ella.

La zarpa se abrió.

Y Nico ya no perdió ni un momento.

En su acelerada carrera casi atrapó a Luc y a Adela, que le llevaban una buena ventaja, mientras por detrás los gritos de los dos agentes de la urbana se elevaban en un paroxismo de furia por encima de sus cabezas.

Eso sí, no les dispararon como llegaron a pensar.

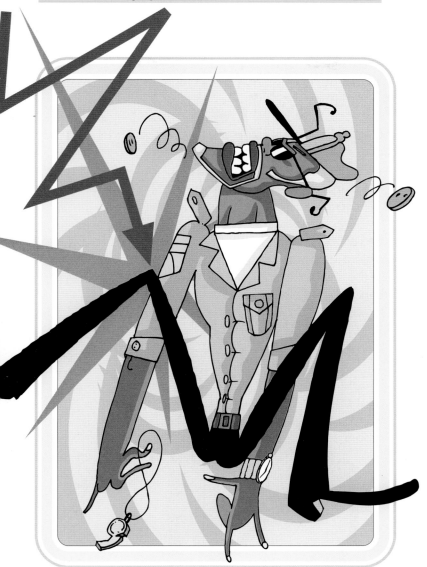

Capítulo
(26 de julio de 1947)
9
$$(26 + 7 + 1947 = 8 + 7 + 21 = 36 =$$
$$3 + 6 = 9)$$

AGOTADOS, derrengados, asustados, consternados y muchos «ados» más, no dejaron de correr hasta haber puesto abundante tierra de por medio entre ellos y sus posibles perseguidores, aunque algo les decía que aquel par de gandules no eran de los que corrían demasiado. Por si las moscas, además, lo hicieron en zigzag, demostrando un perfecto conocimiento del barrio. Acabaron metidos en un portal que siempre estaba vacío y que usaban como punto de reunión cuando llovía.

Cuando lograron acompasar sus respiraciones, se miraron unos a otros, esperando que alguien rompiera aquella especie de catarsis.

Y como casi siempre en esas circunstancias, fue Adela la que lo hizo.

—No estaba —dijo—. ¡No estaba!

—Nosotros le vimos bien muerto, ¿verdad? —consideró Nico.

—Si se hubiera arrastrado, habría un rastro de sangre —dejó sentada la evidencia Luc.

—Eso sólo puede significar... —Adela no terminó la frase.

Lo hizo el mismo Luc.

—Nos lo dijo, ¿recordáis? —su cara estaba revestida de grave seriedad—. Nos dijo que había escapado, pero que tal vez el asesino le hubiera seguido.

—¡Se ha llevado el cadáver mientras estábamos fuera, y ha limpiado la sangre, las huellas de su crimen, las pruebas! —gritó Nico.

—Pero cuando la gente vea que el Fepe ha desaparecido... —vaciló Adela.

—Ha dicho algo más antes de morir: que a las seis el asesino se iba —les recordó Luc.

—¡Va a escapar! —Adela abrió la boca.

—Son las tres pasadas. Apenas si queda algo menos de tres horas, ¡maldita sea! —expresó su rabia Luc.

—¿Cómo pretendía que nosotros diéramos con él en ese tiempo? —se preguntó Nico.

Recordaron de pronto el juego, la prueba, el examen, el motivo de que estuvieran metidos en aquello.

—¿No me diréis que... vamos a hacerlo? —tembló Nico al ver las caras de rabia y determinación de sus dos amigos.

—Escucha, colega —Luc le pasó una mano por encima de los hombros—: Hay algo todavía peor.

—¿Qué es? —Nico estaba pálido.

—Que el asesino vaya a por nosotros antes de escaparse.

—¿Por qué? —se asustó aún más Nico.

—Porque si ha seguido al Fepe y nos ha visto hablando con él, lo más seguro es que piense que nos ha revelado su identidad —le aclaró contundente Adela—. No es seguro, pero no podemos ignorarlo.

Nico se dejó caer sobre sus posaderas al no poder sostenerle sus piernas.

—Esto es demasiado —farfulló.

—Es un lío de mil demonios, sí —reconoció Luc.

—Pero él confiaba en nosotros —dijo Adela.

Era otra incuestionable verdad.

La sopesaron en silencio.

—¿Creéis que podemos? —manifestó inseguro Nico.

—¿Por qué no? —dijo Adela.

—Él creía que sí —asintió Luc.

—Sí, supongo que... se lo debemos —Nico bajó la cabeza apesadumbrado.

No se acostumbraban a la idea de que Felipe Romero, el Fepe, el profe, estuviera muerto. Asesinado.

Y ellos podían resolver el crimen.

Tenían la clave en sus manos.

—Has tenido buenos reflejos —le dijo Luc a Nico—. De no haber sido por ti...

—Abre el sobre —confirmó lo que ya parecía inevitable Adela.

Nico se llevó la mano al bolsillo del pantalón. El sobre estaba un poco arrugado. Tenía el número 1 primorosamente escrito a mano en su superficie. Él mismo lo abrió. Dentro había una simple hoja de papel cuadriculado, de libreta, también escrita a mano.

—¿Qué dice? —lo apremió Adela.

—Dice: «Jugad limpio. No pretendáis ir de pista en pista recogiendo los problemas para resolverlos al final todos, porque entonces no os dará tiempo. Resolved cada problema y luego seguid la pista hasta el siguiente punto, donde habrá otro sobre como éste. En total hay ocho problemas. Si los resolvéis adecuadamente, con las cifras obtenidas tendréis la clave, el nombre del asesino que he seleccionado al azar y que conocéis».

—Al azar —tembló Adela—. ¡Pobre!

—Si lo ha puesto será por algo. Igual se temía una cosa así —vaticinó Luc.

—Dice que lo conocemos —apreció el detalle Adela.

—Y él a nosotros —se preocupó Luc.

—¿Leo ya el primer problema y la primera pista para dar con el siguiente? —preguntó Nico.

—Vale —aceptaron el envite final Adela y Luc.

La suerte estaba echada. Nico leyó:

PROBLEMA 1: *Un comerciante guarda cajas en una habitación con un hueco central y lo hace de la forma que se ve en el cuadro.*

3	10	3	=16
10	X	10	
3	10	3	=16

‖ 16   ‖ 16

El comerciante tiene una manía. Le gusta que las cajas sumen 16 en horizontal y en vertical por los extremos. Así que, cada vez que se lleva cajas, lo hace de 4 en 4, para que la suma en horizontal y en vertical siga siendo 16. ¿Cómo lo hace? Y lo que es más importante, ¿cuántas veces podrá llevarse 4 cajas para lograr que siempre pueda sumar 16 horizontal y verticalmente en los extremos y sin dejar ningún espacio sin cajas?

Pista para dar con el siguiente sobre: *Resolved el jeroglífico y sabréis dónde se encuentra.*

Luc y Adela se habían sentado uno a cada lado de Nico para estudiar el cuadro del problema.

—Ya empezamos —dijo el chico—. ¡Esto no es un problema de mates, es otra de esas malditas adivinanzas con truco! ¿Cómo vamos a resolver este galimatías?

—Pues anda que el acertijo, jeroglífico o lo que sea eso de abajo... —pareció dispuesta a rendirse de buenas a primeras ella.

Nico miraba fijamente los números 3 y 10 de las casillas.

—Se parece un poco a lo que nos puso del 15, ¿recordáis?

—Esto es distinto —protestó Luc—. Allí había que distribuir los números del 1 al 9 para que sumaran 15 por todas partes. Pero aquí... Si nos llevamos 4 cajas, ¿cómo vamos a conseguir que sigan sumando 16 las restantes? ¡Hay 4 menos!, ¿no? ¡Es imposible!

—Pues según el enunciado, por lo visto puedes realizar la operación varias veces, porque la pregunta es ésa: ¿cuántas veces podrá llevarse 4 cajas manteniendo la suma de 16? —indicó Adela.

—Si es posible, será una —rezongó Luc molesto.

—No podemos arriesgarnos —dijo Adela—. Si un resultado está mal, supongo que al final fallará todo. Los resultados de las ocho pruebas deben estar interrelacionados entre sí.

—¡Anda que cuando hablas en plan fino! —se burló Luc.

—¡Bueno, no te metas conmigo, sólo intento ayudar, ser positiva!

—¿Tú? Si estás más desanimada que yo, y no hemos hecho más que empezar.

—¡Mira quién habla!

—¿Queréis callaros? —protestó Nico, que seguía mirando fijamente el cuadro.

—¿Por qué, cerebrito? ¿Acaso sabes resolverlo? —le retó Luc.

—Pues ya ves, creo que sí.

Los dejó helados.

—¿Ah, sí? —mostró su incredulidad Adela.

—En un videojuego había algo parecido, aunque no recuerdo muy bien...

La posibilidad de resolver el primer problema hizo que los nervios, la tensión desaparecieran de su entorno.

Era el momento de la verdad.

O salían del atolladero o renunciaban.

Y el asesino del profesor de matemáticas escaparía.

—Hay que quitar cajas —continuó Nico—. Si sacamos 1 de cada montón de 10... quedan 9, pero sumadas a las 6 restantes..., eso da 15. Y si quitamos 1 de cada cuadro..., nos llevamos 8 en total y tampoco suman 16.

—En lo del 15 había que repartir los números, ¿recordáis? —frunció el ceño Adela.

—No es lo mismo —dijo Luc.

—Estamos pensando en quitar, sólo en quitar —advirtió Nico—. En aquel juego el héroe sacaba de un lado unos ladrillos, pero luego ponía parte de ellos en otro lado.

—¿Quitar y poner? —no lo entendió Luc.

—¡Claro! —los ojos de Nico se agrandaron—. ¡Quitar y poner!

—¿Cómo? —se animó Adela.

—¿Dónde hay más? —preguntó Nico. Y se respondió a sí mismo—: En los centros. ¿Y dónde hay menos? En los ángulos. ¡Hay que quitar de donde haya más y poner donde haya menos! ¿Tenéis un boli?

No llevaban nada para escribir. Nico lo hizo en el polvoriento suelo.

Primero quitó una caja de los cuatro dieces. No era posible. Después quitó dos de cada uno y puso una de más en cada extremo.

—¡Bingo! —cantó feliz.

El cuadro quedó así:

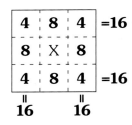

—¡Qué pasada! —reconoció Luc admirado.

—¡Bien, Nico! —Adela le dio un beso muy fuerte en la mejilla.

—Hemos quitado 8 cajas, pero hemos añadido 4, así que nos hemos llevado 4 en realidad.

—¡Una vez! —cantó Adela excitada.

—Sigue, sigue —le empujó Luc.

Nico repitió la operación:

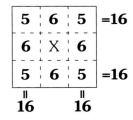

—¡Dos veces! —dijo Adela.

—¡Increíble! ¡Nos estamos llevando cajas y siguen sumando 16! —puso cara de pasmo Luc.

—Ya nos dijo el profe que todo era como un juego. ¡Es un truco la mar de simple! —mostró su felicidad Adela.

—Ya, pero hay que verlo —se jactó Nico con aplastante fuerza de superioridad por su deducción.

El siguiente cuadro quedó así:

—¡Ya van tres!

—¿Puedes llevarte de nuevo 4 cajas más?

—¡Vamos allá! —se frotó las manos Nico.

Y con el dedo ya sucio, volvió a escribir los números en el polvo:

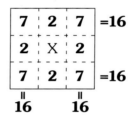

—¡Cuatro veces!

—Pues ya está. No hay más —dijo Nico—. Si me vuelvo a llevar 2 cajas de los centros, se queda en 0 y, aunque entonces en los extremos habría 8 y seguiría sumando 16, el enunciado dice que ha de haber cajas en cada sitio.

—¡Es verdad! —dijo Adela—. Ya no me acordaba de eso. Yo habría quitado otras 4. ¡Bien hecho, Nico!

—¡Muy bien! ¡Seguro que ésa era la trampa final! —le palmeó la espalda Luc—. ¡No hemos caído en ella, profe!

El recuerdo del profesor de matemáticas muerto les enfrió el ánimo.

Aunque su éxito, su primer éxito, era todo un homenaje a él.

—El jeroglífico, vamos —trató de no volver a caer en el abatimiento Adela, que era la más sensible en este caso.

Lo estudiaron a fondo por primera vez.

—No entiendo nada —reconoció el triunfador de la primera prueba.

—Esto de aquí abajo es el colegio, eso está claro —señaló Adela.

—Pero lo de arriba... ¿qué es? Parece una madera.

—Es una madera —indicó ella—. Una tabla o algo así.

—¿Y esto del medio? —preguntó Nico.

—Son anuncios, ¿no? «Se busca tal», «Se necesita cual»... —tanteó Luc.

—Una tabla de madera, unos anuncios, el edificio del cole... —repitió Adela.

Comenzaron a sentir vibraciones, un picorcillo inquietante.

—Colegio, anuncios, tabla —dijo Nico—. Colegio, anuncios, tabla.

—Tabla, anuncios, colegio —lo repitió en su correcto orden Luc.

—¡Tablón de anuncios del colegio! —gritó Adela.

Tenía razón.

Así de simple.

—¡Vamos, a toda prisa! —fue el primero en echar a correr Luc.

Capítulo
$$(10 - 8 + 6 - 4 + 2 - 4 + 6 - 8 + 10)$$
10

CUÁNTO tiempo hemos empleado en la primera prueba?

—Es mejor no mirar el reloj o acabaremos tan nerviosos que no lo conseguiremos.

—Sí, en los exámenes nos pasa eso. El reloj parece correr y correr y correr y nosotros nos quedamos muertos.

—No ha sido tan difícil, ¿verdad?

—Hombre…

—No, si visto ahora, parece chupado.

—Ya, pero cuando hemos leído la pregunta y hemos visto el jeroglífico…

—¿A que parecía imposible?

—¡Total!

—Yo es que me siento la mar de bien.

—Si no fuera por lo del Fepe.

—Vamos, ¡vamos! Hay que dar con ese cerdo.

—O cerda.

—¿No puedes correr más, Nico?

Corrían y hablaban. Hablaban y corrían. El colegio no estaba lejos, pero ahora, en su carrera contra el tiempo, cada segundo contaba y podía ser la diferencia entre coger al asesino o permitir que escapara.

Eso también les hacía reflexionar.

—¿Y por qué se va a escapar a las seis?

—Sí, es cierto, ¿por qué?

—A lo mejor el avión en que se larga sale a esa hora.

—O el barco.

—O...

—Quedan siete problemas, no vendamos la piel del oso antes de cazarla.

Adela y Luc miraron a Nico con cara de enfado por enfriarles de tal forma el ánimo después de haber superado tan bien la primera prueba. El chico corría al límite de sus fuerzas y, dado que era el más redondito, estaba congestionado y rojo como un tomate.

—¡Ya llegamos! —dijo Luc.

—¿Estará cerrado? —se alarmó Adela.

—No, no lo está, seguro —los tranquilizó Nico.

No menguaron su alocada carrera ni al llegar al centro en el que pasaban tantas horas al día tratando de aprender cosas. Entraron por la puerta exterior y cruzaron el patio como posesos. Ahora, Adela y Luc ya no esperaron a Nico. Se adelantaron con grandes zancadas hasta meterse en el edificio por la puerta principal. Allí sí dejaron de correr, no fuera a verles alguien y se la cargaran. Al director no le gustaban las carreras por las zonas comunes.

El tablón estaba allí mismo, en la entrada, a la derecha.

Se acercaron a él, buscando...

—¡Aquí está! —cantó victoria Adela.

En efecto, un sobre señalizado con el número 2 destacaba por encima de las ofertas, las peticiones, los prospectos y demás flora y fauna escrita que poblaba el tablón de anuncios. Se hallaba clavado con un alfiler de cabeza gorda y verde en el ángulo superior izquierdo.

Luc lo cogió.

—¿Lo abrimos aquí o...?

—No —dijo Adela—. Vámonos.

Se estremeció como si...

Salieron de allí los tres, con el sobre quemándoles en el alma, ansiosos por enfrentarse a la segunda prueba. No fueron muy lejos. Nada más doblar la esquina más próxima en la calle de enfrente, se sentaron en el suelo. Luc abrió el sobre. Dentro había otra hoja de papel cuadriculado como la primera. Y leyó:

PROBLEMA 2: De los 60 alumnos que practican deporte en un colegio, el 55% practica el fútbol, el 24% practica el baloncesto y el 6% se dedica a la natación. ¿Cuántos alumnos juegan al tenis?

PISTA PARA DAR CON EL SIGUIENTE SOBRE: Un hombre quiere dejar de fumar y toma la determinación de hacerlo. Mira sus reservas y ve que tiene 27 cigarrillos. Se dice: «Me los termino y lo dejo». Pero cuando se ha fumado los 27 cigarrillos ve que con cada tres colillas puede hacer un cigarri-

llo más, así que sigue fumando hasta que sólo le queda una colilla. ¿Cuántos cigarrillos habrá fumado en total?

Fumar es malo, así que no os aconsejo resolver el problema haciéndolo, ¿OK?

—Éstos parecen fáciles —exclamó, boquiabierta, Adela.

—Sí, ¿verdad? —se animó Luc.

—Tendrán truco, seguro —siguió pesimista Nico pese a su éxito con el primer problema.

—Nos hace falta un boli o un lápiz o lo que sea —protestó Luc.

—Ya voy yo. Esperadme —se ofreció Adela.

Se levantó y volvió a correr hacia el colegio. Luc y Nico se quedaron solos.

—¿La esperamos? —quiso saber el segundo, impaciente.

—Para el problema necesitamos escribir, pero para lo de los cigarrillos no. Veamos... Tú toma nota mentalmente.

—Vale.

—Si se fuma los 27 cigarrillos tiene 27 colillas y, como de cada 3 hace otro cigarrillo, resulta que..., 27 dividido por 3..., consigue liar 9 cigarrillos más.

—Eso son 36 cigarrillos —sumó Nico.

—Con las 9 colillas restantes, hace otros 3 cigarrillos.

—Que sumados a los 36 primeros nos dan 39.

—Pero con estos tres cigarrillos, hace uno más, el último.

—¡O sea que se fuma 40 y le sobra la colilla final! —brincó en el suelo Nico.

—Chupado, ¿no? —se hizo el chuleta Luc.

Adela ya regresaba a la carrera. Llevaba un boli en la mano. Cuando aterrizó a su lado le indicaron el progreso de sus pesquisas.

—¡Ya hemos resuelto la pista para dar con el siguiente sobre! —dijo Nico.

—¿Y no me habéis esperado? —Adela, en lugar de alegrarse, se enfadó—. ¡Pues mira qué morro!

—Caray, no sabíamos que te interesaran las mates —se defendió Luc.

—Lo hacíamos para ganar tiempo —hizo lo propio Nico.

Cuando Adela se enfadaba, se enfadaba de verdad.

—A ver, contádmelo. Sólo para estar segura de que lo habéis hecho bien —continuó picada ella.

Le explicaron lo de los 27 cigarrillos y las colillas. El resultado era bueno. 40 cigarrillos.

—¿Y eso es una pista? —se extrañó la chica.

Cierto. 40 no era el resultado de una de las pruebas del caso, sino una pista para encontrar el tercer sobre.

—¿A alguno le suena algo que tenga que ver con el 40? —se alarmó Luc ante aquella insólita pista.

—¿No dice nada más el enunciado? —Nico le cogió el papel de las manos a su compañero y lo leyó despacio.

—Nada.

Se miraron los tres, preocupados.

—Ya sabía yo que... —comenzó a desanimarse Nico.

—¡Eh, eh! —lo detuvo Adela—. Concentrémonos. Si la pista es ésa, el número 40, es porque el Fepe sabía que uno de los tres lo entendería.

—Yo vivo en el número 52 de mi calle.

—Yo en el 79.

—Yo... —la propia Adela se quedó pálida de golpe.

—¿Qué? —la alentó Luc al verle la cara.

—¡Mi taquilla del cole! —gritó ella—. ¡Es la número 40!

—¡Bien! —fue a ponerse en pie Nico.

—Espera, espera —le cogió por el pantalón Luc y le obligó a sentarse de golpe—. Hay que resolver el problema.

—¡Vamos a por el sobre y resolvemos los dos problemas a la vez!

—No, nos liaremos —se mantuvo firme Adela—. El mismo Fepe nos dijo que actuáramos correctamente y paso a paso. De momento vamos bien, pero seguimos sin ser genios matemáticos. ¿De acuerdo?

Nico lo aceptó a regañadientes.

—De acuerdo —volvió a sentarse.

—Veamos el problema —retomó el hilo del momento Luc.

Adela tenía el bolígrafo, así que cogió la hoja de papel.

—Esto está chupado —afirmó.

Empezó a hacer cálculos en silencio, garabateando en el papel. Nico y Luc trataron de seguir sus operaciones.

—Dinos qué haces, ¿no? —se interesó el primero.

—Veréis —Adela lo repitió todo en voz alta para estar segura de sus cálculos—. Si el 55% juega al fútbol, el 24% juega al baloncesto y el 6% hace natación…, eso nos da un 85% del total. O sea, que los que juegan al tenis son un 15% de esos 60 alumnos. ¿Vale?

—Vale —asintieron.

—Así que tenemos…

Adela hizo la operación aritmética:

$$\frac{X}{60} = \frac{15}{100}$$

—Con lo cual tenemos que x… —continuó:

$$X = \frac{15 \times 60}{100}$$

—¡Y ya está! —sonrió de oreja a oreja tras hacer la multiplicación de 15×60 y dividirla por 100—. El resultado es… ¡9!

Se miraron entre sí, emocionadísimos.

—Tenemos dos —dijo Luc.

—Dos de dos —quiso dejarlo bien claro Nico.

—Somos unos genios —entonó como quitándole importancia Adela.

—Es que hacerlo aquí en lugar de un examen...

—Y los tres...

—Bueno, ¿qué? Esperamos que nos echen flores o... ¡La tercera prueba!

¡La taquilla número 40!

Se levantaron y corrieron de nuevo en dirección al colegio.

Capítulo
($\sqrt{121}$)
11

SE detuvieron en la puerta.

—Será mejor que vaya yo sola —advirtió Adela—. No habiendo clases esta tarde sería sospechoso que nos vieran a todos, mientras que, si alguien me pregunta, diciéndole que voy a por alguna cosa en mi taquilla, listos.

—Vale, te esperamos en la puerta —convino Luc.

Adela entró en el edificio del colegio. Había un extraño silencio. Era inquietante. Aulas vacías, los profesores repasando exámenes, reuniéndose para hablar de notas. Por no estar, ni siquiera estaba el bedel, el señor José, que hacía de celador, se encargaba del orden, de abrir y cerrar las puertas, de arreglar esto y aquello y lo de más allá. La diferencia con las horas lectivas, en las que aquello era como un enorme estallido de energía, se hacía patente.

Casi tuvo miedo.

Sin saber por qué.

Subió a su piso. Era bastante inusual tener taquillas, porque en los dos colegios en los que ya había estado anteriormente, no las tenían. Pero allí era distinto. No eran como las de las películas americanas, de metal, llenando los pasillos, pero servían igual, aunque la madera era vieja y cualquiera podía descerrajar una si realmente lo quería. Entró en su aula y fue al fondo. En su taquilla, la número 40, tenía un candado con combinación de números. Insertó la clave, 7-5-9, y lo abrió.

Contuvo la respiración.

El sobre, con un 3 escrito a mano bien visible, estaba allí.

El profesor de matemáticas debía haberlo puesto a través de la ranura superior o inferior.

Lo tomó, cerró la taquilla, volvió a poner el candado, hizo correr las ruedas con los números y se dispuso a marcharse. No había dado ni media docena de pasos ya en el pasillo, preparada para bajar las escaleras, cuando una voz la detuvo.

—¡Eh, tú!

Se quedó paralizada al reconocer la voz.

Giró la cabeza.

El director del colegio, Mariano Fernández, caminaba hacia ella.

—¿Qué haces aquí?

—¿Yo? —se puso nerviosa, muy nerviosa—. Nada.

—¿Qué es eso? —el director señaló el sobre que sostenía todavía en la mano.

—Unos... apuntes que tenía en mi taquilla —trató de ser lo más natural posible.

Si le pedía el sobre y lo abría...

Bueno, ¿qué? Sólo sería un problema de matemáticas y una nueva clave para dar con el sobre número 4.
¿De qué se asustaba? ¿De la autoridad? ¿De la cara de
malas pulgas del director? ¿De que se lo quitara o per-
dieran un tiempo valiosísimo?

El hombre seguía mirándola de hito en hito.

—Cuando os veo con esa pinta de no haber roto
un plato jamás... —puso cara de no creerse la mitad
de las cosas de la vida—. Anda, vete.

Adela no le dio la menor oportunidad de cambiar
de idea. Le sonrió cauta, le lanzó un comedido «Gracias» y un educado «Buenas tardes», y bajó las escaleras con aplomo hasta que, al perder de vista la sombra
del director, echó a correr de nuevo. Luc y Nico la es-
peraban ansiosos.

—¿Por qué has tardado tanto?

—¿No recordabas tu combinación o qué?

—No tenemos todo el tiempo del mundo, ¿sabes?

—¡Cada minuto cuenta!

Adela los miró enfadada.

—Me ha pillado el dire —les informó.

—¡No!

—¿Y qué...?

—Nada —les puso el sobre en las narices—. Pero
me ha dado un susto de muerte, me ha preguntado
qué era esto y le he dicho que se trataba de apuntes.
¿Qué queríais que hiciera, que echara a correr?

—Bueno, lo importante es que lo tenemos —suspiró Nico.

—Bien por ti —Luc le dio un codazo cariñoso a su compañera.

—Volvamos donde antes —se olvidó ella de los nervios pasados.

Lo hicieron y se sentaron en el suelo, en el mismo sitio donde habían resuelto el segundo problema y adivinado la pista del sobre que ahora estaba en su poder.

Esta vez fue Adela la que lo abrió, extrajo la correspondiente hoja y leyó su contenido:

PROBLEMA 3: *En una clase hay más de 40 alumnos, pero menos de 50. Si los agrupamos de 3 en 3, sobra 1. Si los agrupamos de 4 en 4, sobran 2. ¿Cuántos alumnos son chicos si 27 son chicas?*

PISTA PARA DAR CON EL SIGUIENTE SOBRE: *Id a este lugar teniendo en cuenta las iniciales: 5/.31987 9°D.*

El problema parecía sencillo, sobre todo teniendo en cuenta que estaban los tres. Pero la pista, de nuevo, les pareció un galimatías. Se quedaron pendientes de ella durante unos segundos.

—¿Que vayamos dónde? —exclamó perplejo Nico.

—La clave está en eso de las iniciales, seguro —señaló Luc.

—¿Resolvemos primero el problema? —propuso Adela.

—No, espera —la detuvo Luc al ver que ella ya tenía el bolígrafo en la mano.

—Como nos quedemos pendientes de una cosa y nos pongamos tozudos... —advirtió la muchacha.

—Fijaos —siguió Luc—. Esto parece una dirección. Se fijaron.

—Sí, hay un 5, una raya en diagonal y un punto, como cuando ponemos calle en una carta —manifestó Nico.

—Y al final, en lugar de número tal, escrito con la ene minúscula y el cerito pequeño arriba, hay un número y una letra.

—Dame el boli —le pidió Luc a Adela.

Ella se lo pasó, y el chico anotó en la hoja de papel:

C   U   D   T   C   C   S   S   O   N

—¿Eso qué es? —quedó pasmado Nico.

—Las iniciales de los números del 0 al 9.

—Entonces si las cambiamos por los números... —empezó a comprender Adela.

Luc hizo las permutas.

—El 5 empieza por ce. Así que ya tenemos C/. —su mano voló rápida sobre el papel—. El 3 es te, el 1 es u, el 9 es ene, el 8 es o, y el 7 es ese. En cuanto a lo de 9°D, es justo al contrario. El nueve es ene y la de final sólo puede ser un 2, ya que es el único número que empieza por esa letra. Eso nos da...

C/. TUNOS N.º 2

—¡Es la dirección del profe! —saltó Adela.

—¿Cómo lo sabes? —preguntó Luc.

—¡Porque un día hacíamos bromas sobre música, y yo le dije que no me gustaban las tunas, que me parecían algo anacrónico, y él nos comentó que vivía en la calle Tunos!

—¡Es cierto, sí! —estuvo de acuerdo Nico.

—Pues yo no recuerdo nada —se extrañó Luc.

—Puede que ese día estuvieras enfermo. Tuviste la gripe en enero.

Era lo de menos. Tenían la pista para dar con el cuarto problema.

Aunque todavía les faltaba resolver el tercero.

—Venga, venga —les dio marcha Nico—. A ver qué pasa con eso de los chicos y las chicas de la clase.

—¿Hay alguna fórmula matemática para plantear esto? —Luc los miró a los dos.

—Déjame —Adela recuperó el bolígrafo—. Debe ser un cálculo de probabilidades o algo así.

—Ah —Nico y Luc se miraron sin entender muy bien de qué iba la cosa.

—Veamos —empezó su amiga—. En primer lugar hay que buscar los números comprendidos entre 40 y 50 que sean múltiplos de 3 y sumarles 1, que es el que sobra según el enunciado. El primero sería... a ver... —hizo el cálculo mentalmente—. 12 por 3, 36... no. 13 por 3, 39... no. 14 por 3, 42... Sí, ése es el primero.

Y anotó éste y los siguientes que cumplían tales condiciones.

$$42 + 1 = 43$$
$$45 + 1 = 46$$
$$48 + 1 = 49$$

—Ya no hay más —dijo.

Luc y Nico seguían atentamente sus operaciones, tratando de pillarla. Su cara se les iluminó al entender lo que estaba haciendo.

—Ahora hay que buscar todos los números entre el 40 y el 50 múltiplos de 4 y sumarles 2. El que coincida...

El primero que escribió, después de multiplicar por 4 dos o tres veces mentalmente, fue el 40:

$$40 + 2 = 42$$
$$44 + 2 = 46$$
$$48 + 2 = 50$$

—¡Coincide el 46! —hizo notar Nico.

—Pues ése es el número que buscamos —expresó su satisfacción Adela—. El único que coincide en ambos planteamientos. Si agrupamos a los alumnos de 3 en 3, formamos 15 grupos de 3 y sobra 1, el alumno 46. Si los agrupamos de 4 en 4, podemos formar 11 grupos de 4, y sobran 2 hasta el 46.

—Entonces la respuesta final es... —Luc hizo la rápida resta—. Si 27 son chicas y hay 46 alumnos, ¡el número de chicos es 19!

—¡Ya tenemos otro! —apretó los puños Nico.

—¡Sí! —gritó Adela.

Tenían ya una cita en la calle Tunos número 2, así que ni se lo pensaron.

Capítulo
(1 x 11 x 111 x 1.111 x 11.111 – 15.072.415.929)
12

DÓNDE está esa calle? —preguntó Luc al ver que Adela tomaba el mando del grupo.

—Cerca. Yo la conozco —dijo ella—. Mi prima vive al lado.

—¿No podemos coger un taxi? —protestó Nico.

—¿Tienes dinero? —alzó las cejas Luc.

—¿Yo? ¡Sí, hombre!

—Pues entonces... —se resignó Luc.

—Tomaremos el tranvía de San Fernando —dijo Adela.

—¿Qué tranvía es ése? Y además, aquí no hay tranvías —frunció el ceño Nico.

—El tranvía de San Fernando es el que va un rato a pie y otro rato andando —se echó a reír Adela.

—¡Ja, qué graciosa! —hizo una mueca el burlado.

—¿De dónde has sacado eso? —la secundó en su risa Luc.

—Mi abuelo. Es un pozo de frases, dichos y refranes. Me encanta escucharle.

—Qué suerte tienes —Luc bajó la cabeza—. Mi abuelo paterno murió siendo yo un crío, y el padre de mi madre vive en el otro extremo de España, así que... unos días en verano y poco más.

—A mí me encantan mis abuelos —confesó Adela.

—Y a mí los míos, sobre todo el materno —se apuntó a la conversación Nico ya recuperado—. Como fue músico en su juventud, cuenta cada batallita que es para mearse.

—Fino —rezongó ella.

—Usted perdone —puso cara de extrema exquisitez Nico.

—Eh —los detuvo Luc—. ¿Creéis que todos los problemas y las pistas serán tan sencillos como hasta ahora?

—¿Sencillos? —le demostró no estar nada de acuerdo Nico—. ¡Ahora me dirás que lo de las cajas del comienzo era sencillo!

—Pues anda que lo del jeroglífico... —asintió Adela—. Y la pista de la calle del profe...

—Para lo burros que somos nosotros en mates, haber resuelto ya tres problemas es mucho, así que deben ser sencillos —justificó su comentario Luc.

—Tranquilo, que ya habrá alguna jugarreta —sentenció Adela.

—¿Tú crees? —se inquietó Nico—. El Fepe parecía querer ayudarnos.

—Pero no nos lo iba a poner fácil, seguro —insistió Adela.

—Bueno, ¿y si dejamos de hablar y corremos un poco? Porque a este paso no llegamos —propuso Luc.

Incluso Nico, que era enemigo de las carreras, comprendió que su amigo llevaba razón. Forzaron la máquina y se pusieron a trotar, igual que si hicieran *footing*. Ya no hablaron hasta que, menos de diez minutos después, Adela señaló la calle a la que se aproximaban.

Nico estaba rojo, congestionado, sin aliento, a punto de desfallecer.

—Pues... me... nos... mal... —estalló al límite de sus fuerzas.

El número 2 de la calle Tunos era la primera casa. Se detuvieron en el portal y la contemplaron dándose cuenta de que no sabían qué más hacer. La pista sólo decía eso: calle Tunos número 2.

Miraron la hoja de papel por si había algo más.

—No dice nada. Sólo «Id a ese lugar» —mencionó Adela.

—¿Dónde dejarías tú un sobre? —razonó en voz alta Luc.

—En el piso, seguro —sentenció Nico—. Y como no hay nadie...

—No puede haberlo dejado en el piso —dijo con más esperanza que seguridad Adela.

—Pues aquí no hay tablón de anuncios —suspiró Luc.

—¡Pero hay buzones! —exclamó de pronto Nico.

Se precipitaron dentro. Los buzones estaban en la parte de la derecha. Buscaron el del profesor Felipe Romero y cuando lo encontraron volvieron casi a gritar de alegría: la parte superior de un sobre asomaba por la boca del receptáculo metálico.

—¡Sobre número 4, tachán! —lo extrajo Adela.

—Vámonos, rápido —pidió Nico.

Lo comprendieron al verle la cara. Seguían olvidando que su maestro estaba muerto, cruelmente asesinado, y que ahora estaban en su propia casa. Salieron de ella y se alejaron lo justo para no verla. Fue en una nueva esquina. Se sentaron en el bordillo, entre dos coches aparcados. Adela fue la que abrió el sobre y extrajo la hoja de papel cuadriculado. Los tres casi contuvieron la respiración mientras leían:

PROBLEMA 4: *Un hombre tiene 70 años y su hijo 20. ¿Cuántos años habrán de transcurrir para que el padre triplique en edad al hijo?*

PISTA PARA DAR CON EL SIGUIENTE SOBRE: *Buscad en la esquina el [(37 624 806 − 19 592 905) × 2 + 9 594 198] / 200 − 226 289.*

NOTA: *Chupado, ¿vale? (¡Ja, ja, ja!)*

—¿Qué clase de pista es ésta? —puso cara de asco Nico.

—Sumas, restas, multiplicaciones y divisiones, hombre. Pan comido —le hizo ver Adela.

—Pues el problema es bastante sencillo. Como que fue el único que resolví rápido en el examen —dijo Luc.

—Y yo —afirmó Nico.

—Y yo —se apuntó al carro del éxito Adela.

Se miraron alarmados.

—Demasiado fácil, ¿no os parece?

—Bueno, de momento.

—Faltan cuatro problemas y tres pistas más.

Volvieron a leer el enunciado despacio, por si había alguna trampa en el problema o en la pista. Todo siguió pareciendo la mar de sencillo.

Tal y como decía la nota al pie de la hoja.

—Encima de cachondeo —movió la cabeza horizontalmente Luc.

—Era un pasota —reconoció Nico.

—Venga, vamos —se estremeció Adela—. ¿Quién tiene el boli?

—¡Tú! —le dijeron sus dos amigos al unísono.

Ella misma procedió a resolver la sencilla ecuación, aunque en esta ocasión Luc y Nico le fueron soplando también los números, sólo para que quedara constancia de que sabían hacerlo. Primero se planteó la incógnita:

$$70 + X = 3 (20 + X)$$

Después iniciaron las operaciones. Primero:

$$70 = 3 (20 + X) - X$$

Segundo:

$$70 = 60 + 3X - X$$

A continuación:

$$70 = 60 + 2X$$

En cuarto lugar, porque iban paso a paso, para no equivocarse:

$$\frac{70}{2} = \frac{60}{2} + X$$

La penúltima operación:

$$35 = 30 + X$$

Y por último:

$$35 - 30 = X$$

De donde se obtenía que X era igual a 5.

—5 años —asintió Luc.

—Cuando el viejo tenga 75, el hijo tendrá 25, exacto —demostró su habilidad mental Nico.

—Cuatro de cuatro. Estamos a la mitad —dijo Adela.

—Ahora la pista —la apremiaron.

—¿Por qué no sumáis, restáis, multiplicáis y dividís vosotros? —protestó la chica.

—Dame —se ofreció Nico.

—¡Gracias, generoso! —adornó sus palabras ella con voz de vicetiple.

Nico situó las primeras cifras una encima de otra e inició los cálculos. Los otros dos le controlaron para que no se equivocara con tanto número.

$$
\begin{array}{r}
37.624.806 \\
-\ 19.592.905 \\
\hline
18.031.901 \\
x \qquad\qquad 2 \\
\hline
36.063.802 \\
+\quad 9.594.198 \\
\hline
45.658.000 \\
./.\qquad\quad 200 \\
\hline
228.290 \\
-\quad 226.289 \\
\hline
2.001
\end{array}
$$

—¡Anda que no es retorcido ni nada el Fepe! —resopló Nico al llegar al final de las operaciones, incluida la división por 200, que había hecho aparte.

—Pues tenemos otro numerito que ya me diréis —se quedó perpleja Adela—. ¿Qué es 2.001 y en qué esquina hay que buscarlo?

Se encontró con las sonrisas medio burlonas, medio suficientes de sus dos colegas.

—Venga, listos, soltadlo —suspiró.

—¿No te dice nada eso del 2.001? —entonó meloso Nico.

—¿Pero nada de nada de nada? —se puso cargante Luc.

—Pues no... —la cara de Adela cambió de golpe al hacerse la luz en su mente. Delante mismo tenía la matrícula de un coche con una letra al comienzo, dos al final y un número de cuatro cifras en medio—. ¡El coche del profe!

El Galáctico, el Odisea. Ni más ni menos.

Se pusieron en pie y miraron las cuatro esquinas de la calle. El viejo armatoste de Felipe Romero estaba en la que hacía diagonal con la suya. Se plantaron a su lado en dos saltos y miraron el interior.

El sobre señalizado con el número 5 se encontraba en el asiento del conductor.

—¿Y qué hacemos ahora? —dejó caer los hombros Adela.

—O rompemos una ventanilla o... —caviló inseguro Luc.

—No seas bestia, hombre —le espetó la chica.

—A él ya debe darle igual —dijo con un mucho de tristeza y un poco de angustia el muchacho—. Y necesitamos...

Ahora el que los observaba sobrado era Nico.

Dejaron de discutir al notarlo.

—¿Pero creéis que iba a poner el sobre ahí dentro para que no pudiéramos cogerlo o qué? —se puso chulo él.

Y abrió la puerta del coche.

Tal cual.

—¡Estaba abierta! —se sorprendió Adela.

—¿Quién iba a querer robar este trasto? —lo justificó Luc.

Nico ya tenía el sobre. Cerraron la puerta.

Luego volvieron al bordillo para comenzar con su quinto problema.

Capítulo
(¿Cómo se escribe 13 con cuatro unos?)
13
(11 + 1 + 1)

QUE sea como éste, porfa, que sea como éste! —Adela juntó sus manos y cerró los ojos, muy nerviosa.

—¡Y lo mismo la pista, vamos, vamos! —le hizo de coro Luc.

Nico no habló.

—¡Léelo! —le dio un codazo por su lado Adela.

—¡Venga, hombre! —le dio otro por el suyo Luc.

—¡Vale, dejad de darme codazos, caramba! —gritó el que estaba en medio. Y leyó:

PROBLEMA 5: Voy a proponeros tres pruebas rápidas de cálculo mental e INTELIGENCIA (sabéis qué es eso, ¿no?). Dos de los resultados serán iguales. El resultado válido es el tercero, el diferente. Pero cuidado. ¿Preparados?
Prueba A: Si arrancamos las páginas 29, 52, 77, 78 y 95 de un libro, ¿cuántas hojas habremos arrancado?

Prueba B: ¿Cuál es la mitad derecha de 8?
Prueba C: ¿Qué tienen en común la raíz cuadrada de 16, los Cuatro Jinetes del Apocalipsis y 197 menos 193?

PISTA PARA DAR CON EL SIGUIENTE SOBRE: *En el parque, el árbol que obtendréis si resolvéis este problema: Dos personas van en bicicleta, una hacia la otra, y tienen 20 kilómetros de distancia entre sí. En el momento de salir, una mosca que está en el volante de una de las bicicletas, empieza a volar hacia la otra. En cuanto llega al segundo volante, da media vuelta y regresa al primero. La mosca vuela ida y vuelta de volante a volante hasta que las dos bicicletas se reúnen. Si cada bicicleta iba a una velocidad constante de 10 kilómetros por hora y la mosca ha volado a una velocidad también constante de 15 kilómetros a la hora, ¿qué distancia habrá volado la mosca en total?*

NOTA: *No tratéis de resolverlo con fórmulas porque os daría una serie infinita de sumas. Sed elementales. Sed moscas. ¡A divertirse!*

—¡Hala, se ha pasado!
—Y encima dice: «¡A divertirse!».
—¿Y eso de la INTELIGENCIA con mayúsculas?
—Se ve que se iba animando a medida que se las inventaba más complicadas.

—¿Eso es una pista? ¡Eso sí es un problema de matemáticas!

Dejaron de protestar cuando comprendieron que así no ganaban nada, sino que más bien, al contrario, estaban perdiendo un tiempo precioso. Ninguno quería mirar la hora por miedo a ponerse nerviosos.

—¿Qué, vamos allá? —se resignó Luc.

—Sí —Adela tenía un nudo en la garganta.

—Cuando él dice que el problema tiene truco y nos avisa de que vayamos con cuidado... —hundió la barbilla entre las manos Nico.

Nadie parecía dispuesto a empezar.

—Tú tienes el boli —le recordó Luc a Nico.

—¿Ah, sí? —se puso blanco.

—Da lo mismo, hemos de resolverlo pensando los tres —reconoció Adela.

—La primera prueba dice: «Si arrancamos las páginas 29, 52, 77, 78 y 95 de un libro, ¿cuántas hojas habremos arrancado?» —repitió Luc.

—Está claro, 5 —dijo Adela.

—La segunda dice: «¿Cuál es la mitad derecha de 8?».

—Cuatro —respondió Nico.

—No, esperad —Adela frunció el ceño—. Dice la mitad derecha, no la mitad. ¿Recordáis el ejemplo que nos puso el otro día con lo de la mitad superior de ocho?

—¡Claro, la mitad superior de 8 era 0, porque partía el 8 por la mitad con una raya horizontal! —exclamó Luc.

—¡Pues la mitad derecha de 8 es... 3! —cantó Nico. Y lo demostró:

—¡Ya tenemos dos! —Nico apretó los puños, de nuevo animado.

—La tercera prueba —siguió leyendo Luc— dice: «¿Qué tienen en común la raíz cuadrada de 16, los Cuatro Jinetes del Apocalipsis y 197 menos 193?».

—La raíz cuadrada de 16 es 4 —aportó el primer indicio Adela.

—Los Cuatro Jinetes del Apocalipsis también son 4 —manifestó con aplastante evidencia Nico.

—Y 197 menos 193... son 4 —concluyó Luc.

—Pues ya está —Adela resumió la conclusión final—: La primera prueba da 5, la segunda da 3 y la tercera 4.

—Entonces de dar, nada de nada —arqueó las cejas Nico—. Aquí dice que dos de los resultados han de ser iguales, y que el válido es el tercero, el diferente.

Volvieron a mirar las tres pruebas.

—Es el 8, seguro —dijo Luc—. El truco ha de estar ahí.

—No puede ser —insistió Nico, que era el que había hecho la raya vertical separando las dos mitades del número—. Eso es 3.

—Y lo último... —Adela repasó lo de la raíz cuadrada de 16, lo de los Cuatro Jinetes y la resta—. Eso también está bien.

—Pues lo de las páginas del libro no puede estar más claro —expuso Luc—. Son 5 números, así que son 5 páginas.

Cada prueba daba un resultado distinto, o lo que era igual: una estaba equivocada si el planteamiento del profesor de matemáticas era correcto. Y no tenían la menor duda de que lo era.

—Mira que lo dice bien claro, ¿eh? «Cuidado.»

—Es que es imposible... —se alarmó Adela.

—Del todo —la apoyó Luc.

Nico no dijo nada. Y conocían de sobra aquella mirada de concentración, igual que si sorteara obstáculos y peligros en un videojuego.

—¿Nico? —musitó la chica.

—Parece mentira que leáis tantos libros —suspiró él.

Volvía a sonar sobradísimo.

Luc y Adela no supieron si alegrarse porque daba la impresión de que acababa de resolver el entuerto o picarse por aquel tono de voz. Pero incluso Nico comprendía más y más que eran un equipo. Los tres.

No hubo ninguna satisfacción personal en su voz, sólo el alivio de haber dado con el truco, cuando anunció:

—¡Las páginas del libro no son 5, sino 4!

—¿Qué dices?

—¡Pero si está claro que son 5!

—¿Ah, sí? —Nico señaló las cifras de la prueba—. ¡Si arrancamos la 77 y la 78, no arrancamos 2, sino 1!

Adela y Nico se quedaron de una pieza.

Hasta que lo comprendieron.

¡La página 77 era la frontal y la 78 la del otro lado, pero ambas ocupaban una misma hoja! ¡5 números, pero sólo 4 hojas!

—¡Páginas, hojas!

—¡No es lo mismo!

—¡Y aunque lo sea...!

—¡Hemos caído en la trampa!

—¡Pero qué diabólico...!

—¡Y retorcido!

—¡Y...!

Recordaron que estaban hablando de un muerto y se refrenaron. Lo que importaba a la postre era que de nuevo habían resuelto el problema.

—Ahora tenemos dos pruebas que dan como resultado 4 y una que da como resultado 3 —dijo Adela.

—Luego 3 es el número válido —asintió Luc.

—¡Buf! —resopló Nico—. ¡Por los pelos!

—Ésta ha sido difícil, y no lo parecía —convino Adela—. Menos mal que los resultados eran distintos, o no lo habríamos notado.

—Es astuto el profe —dijo Nico—. Lo ha hecho para que nos diéramos cuenta si metíamos la pata.

—Juega limpio —aseguró Luc—, pero si llegamos a decir que la mitad de 8 es 4, teniendo en cuenta que la prueba C es la más clara y también da 4, habríamos obtenido un resultado equivocado al considerar el 5 de la prueba A como válido.

—Eso habría significado meter la pata en dos pruebas —aclaró Adela.

—Y si la hubiéramos metido, nos habríamos merecido fallar —fue categórico Nico.

—No podemos dar nada por sentado, por evidente que parezca —propuso Luc.

Se recuperaron un momento del susto.

Aún quedaba la pista para dar con el sobre número 6. Y eso sí era un verdadero problemón de matemáticas.

—¿Qué, vamos allá? —volvió a la carga Adela.

—Vamos allá.

Leyeron el largo enunciado de la pista. La más difícil de todas hasta el momento. Matemáticas puras.

Y no tenían ni la menor idea de cómo empezar, ni de cómo plantear una posible ecuación, ni...

—Dice que no tratemos de emplear fórmulas.

—Porque nos daría una serie infinita de sumas.

—Imaginaos. Si ya nos advierte eso...

—¿Cómo quiere que seamos elementales?

—Moscas. Dice que seamos moscas.

—Ya, porque acabaremos en la mierda.

Volvieron los más funestos presagios.

—Cuando la mosca llega al volante de la segunda bici, ha recorrido... —Adela le cogió el bolígrafo a Nico y empezó a sumar y restar—. Si tenemos en cuenta

que las dos bicis se han acercado... Pero contando con
lo que las dos bicis han recorrido más la ida y vuelta de
la misma...

—¿Y si primero miramos lo que ha hecho la mosca? —quiso meter baza Luc.

—No, mejor lo que han corrido las bicis —lo intentó Nico.

Adela dejó de escribir.

—Vamos a ser racionales, ¿de acuerdo?

Ninguno de los dos tenía muy claro cómo ser racio-
nal con algo como aquello, pero le vieron la cara de
malas pulgas a su amiga y prefirieron no provocarla.

Adela pasó cerca de un minuto haciendo operaciones.

—Nada —se rindió.

—A ver yo —le quitó el bolígrafo Luc.

Fue otro minuto largo, muy largo.

Nico ya ni lo intentó.

—¿Cómo podemos ser elementales? —protestó Luc
golpeando la hoja de papel.

—¿Y moscas? ¿Cómo podemos ser moscas? —resopló Adela.

—El profe lo habrá puesto por algo —hizo hincapié en el tema Nico—. La clave ha de ser la mosca.

Era el primer indicio inteligente. «Sed moscas.»

—Esto debe ser como aquel ejemplo de la liebre, la
tortuga y el caracol —dijo Adela.

—Veamos, ¿cuándo se encontrarán las dos bicis?
—comenzó a tranquilizarse Luc.

—A 10 kilómetros por hora y separadas por una distancia de 20, se reunirán en una hora —dijo Adela.

Algo les dijo que estaban en el buen camino.

Eran moscas.

—O sea, que hay que contar cuánto recorre la mosca en una hora, prescindiendo de distancias o viajes de ida y vuelta —dijo Nico.

—Pero si ya nos dice el enunciado que la mosca vuela a 15 kilómetros por hora... —empezó a decir Luc.

Se miraron unos a otros.

—No puede ser tan sencillo.

—Tan elemental.

—Tan...

Lo era.

Lo comprendieron al momento.

¡Lo era!

—Esto es... ¡demasiado! —alucinó Nico.

—La respuesta es 15 —asintió Adela.

—¡Lo tenemos! —apretó el puño izquierdo Luc mientras se guardaba el bolígrafo—. Es el árbol número 15 del parque.

Capítulo
(Iván tiene 20 lupas y da 6,
¿cuántas le quedan?)
14

LLEGARON al parque aún más cansados que cuando la carrera hacia la casa de Felipe Romero, porque el parque se encontraba a unos veinte minutos.

Seguían sin querer mirar el reloj. Aún faltaba lo suficiente, pero les quedaban tres problemas y además, al final, conjuntar los resultados, algo que no tenían ni la menor idea de cómo llevar a cabo. Fue Nico el que lo recordó.

—El primer problema ha dado 4, el segundo 9, el tercero 19, el cuarto 5... ¿Le veis alguna lógica a eso?

—Ninguna —reconoció Adela.

—Puede ser una clave, uno de esos acertijos de calcular el sistema numérico, o tal vez sumándolos todos... —consideró Luc.

—Pasemos por ahora. A lo mejor con el último problema nos da un indicio —quiso tranquilizarlos Nico.

—Eso espero —dijo Adela.

—Hay algo peor —Luc puso cara de circunstancias—: Que nos hayamos equivocado en un resultado, pese a todo, y tengamos un ejercicio mal resuelto.

—Sí, ¿cómo sabemos si lo hemos hecho bien? —preguntó Nico.

—No lo sabemos —manifestó Adela encogiéndose de hombros—. Ahí está la dichosa cosa.

—Entonces...

—Hemos de arriesgarnos. Tal vez al final, con los ocho resultados, veamos que algo falla o...

—Venga, concentrémonos en la búsqueda de ese árbol.

Pero era fácil. Justo a la entrada del parque había una fila de árboles en la parte izquierda del camino. Los árboles conducían directamente al pequeño estanque central. Contaron desde el primero.

—Uno, dos, tres...

—Siete, ocho, nueve...

—Doce, trece, catorce y...

El árbol número 15 era de los más hermosos, con un grueso tronco y unas raíces que sobresalían a ras de suelo anudándose entre sí. Buscaron primero por ellas sin encontrar nada.

—¿Y si un niño ha encontrado el sobre y se lo ha llevado?

La pregunta fatalista de Nico los hizo estremecer.

—No creo que el Fepe hubiera sido tan tonto. Seguro que pensó en eso y también en la posibilidad de que fuese a llover —dijo Adela.

Eso último era más difícil, porque lucía un sol radiante pese a que la tarde ya se inclinaba hacia el final.

No había nada en el suelo, así que levantaron las cabezas y rodearon el árbol buscando en el tronco y en las ramas.

—¡Ahí! —señaló Nico.

En un hueco, a una altura de unos dos metros y medio, asomaba el sobre, protegido dentro de una bolsa de plástico.

—¿Lo veis? —la cara de Adela fue triunfal.

—¿Cómo lo cogemos?

—Es imposible trepar por ese tronco tan grueso.

—Habrá que ponerse uno encima del otro.

Se miraron para decidir quién se ponía abajo, quién se subía y quién sujetaba. Ni Adela ni Luc querían soportar el exceso de peso de Nico, que sin embargo era fuerte y robusto.

—Tú te pones abajo, yo me subo encima de ti y que Adela me sujete por las piernas por si nos falla el equilibrio —propuso Luc.

Era lo más lógico, así que lo hicieron.

Nico se arrodilló, Luc se le subió encima ayudado por Adela. Apoyados en el árbol recuperaron la vertical con cuidado.

—¡Cómo pesas, tío! —protestó Nico.

—Es mi cabeza —bromeó Luc—. Todo cerebro.

—¡Entonces será tu culo! —se echó a reír Nico.

—Concentraos, que como os caigáis... —advirtió Adela.

—Ya casi... lo tengo... —Luc alargó la mano.

—Venga, que me haces daño. Me estás clavando la...

—Ya, ya...

Nico se movió. Por más que Adela quiso sujetar a Luc, éste se vino abajo. Para que no le cayera encima, Nico se echó a un lado, que casualmente fue el mismo al que se vino Adela con Luc casi encima.

Acabaron los tres convertidos en un amasijo de brazos y piernas tratando de recomponerse.

—¡Huy, huy!

—¡Bestia!

—¿Pero qué has hecho?

—¡Qué daño!

—¡Serás tonto!

—¿Lo tienes?

Lo tenía. Luc mostró orgulloso el sobre protegido en una bolsita de plástico transparente. Era el número 6.

—¡Vamos allá!

Gatearon hasta el tronco y apoyaron sus espaldas en él, protegidos a ambos lados por las gruesas raíces, así que era como estar encajonados y pegados unos a otros. Luc abrió el sobre y extrajo la nueva hoja. Sus corazones temblaban después de lo complicado que había sido resolver el problema y la pista anteriores.

Leyó:

PROBLEMA 6: *Dos correos van por el mismo camino. El primero salió del punto A y anda 5 kilómetros por hora. El segundo partió del punto B y anda 3 kilómetros a la hora. El correo del punto A emprendió la marcha 6 horas antes que el del punto B. La distancia del punto A al punto B es de 60 kilómetros. ¿En qué lugar del camino van a juntarse? ¿Cuánto habrá recorrido el correo A? ¿Cuánto el B? ¿Qué tiempo habrá empleado el A? ¿Qué tiempo el B? De todas las respuestas, la que deberéis utilizar es precisamente la penúltima: «¿Qué tiempo ha empleado el correo A?».*

PISTA PARA DAR CON EL SIGUIENTE SOBRE: *Deberéis resolver este ejercicio de deducción:*

1) *El espía naranja vive a la derecha del espía rojo.*
2) *Pedro vive en la casa marrón.*
3) *El espía que tiene la pista M vive a dos casas del espía amarillo.*
4) *La casa gris y la casa violeta son las de los extremos.*
5) *Jorge vive en la casa violeta.*
6) *El espía azul vive entre el que tiene la pista M y el que tiene la pista X-9.*
7) *Juan tiene la pista A.*
8) *El espía amarillo y el espía azul son vecinos.*
9) *La casa verde está a la derecha de la casa marrón.*
10) *José es vecino del que tiene la casa violeta.*

Pregunta: ¿Dónde está la pista 7?
NOTA: *Tomáoslo con calma, chicos.*

Se quedaron como si les hubiera caído encima un barreño de agua helada, especialmente por la pista para dar con el siguiente sobre.

—El problema no es difícil —reconoció Adela—. Lo hemos dado no hace mucho. Pero la pista...

—¿Que no es difícil el problema? —se estremeció Luc—. ¡Pues ya me dirás!

—Pero, ¿qué es todo esto de las casas, los espías, las pistas y los nombres? —balbuceó Nico impresionadísimo—. ¿Cómo demonios quiere que sepamos lo que pregunta con sólo esos diez indicios? ¡Esto es un galimatías!

—Dice: «Tomáoslo con calma». Eso significa que es cuestión de paciencia —hizo hincapié en el detalle Adela.

—¿Calma? ¿Calma? —Nico estaba enfadado—. ¡Yo no resuelvo eso ni aunque viva cien años!

—Bueno, vamos a intentarlo, ¿no? —Luc trató de apaciguar a su amigo.

—¡Si es que esto ya es demasiado! —continuó él.

—¿Seguro que sabes resolver el problema? —Luc se dirigió a Adela dejando a Nico con su enfado.

—Y tú también, ya lo verás. Dame el bolígrafo.

Adela empezó a escribir, esta vez en el sobre.

—Mira, no es solamente un problema con una solución —explicó—. Como ves, son cuatro problemas con cuatro soluciones. Vamos a ponerles una letra para saber cuál es cada una de las incógnitas, ¿de acuerdo?

X = *camino recorrido por el correo A.*
Y = *camino recorrido por el correo B.*
Z = *tiempo invertido por el correo A.*
W = *tiempo invertido por el correo B.*

—La respuesta que nos interesa es la Z, pero habrá que resolverlo todo igualmente —siguió Adela—. La ecuación, si no recuerdo mal lo que nos explicó el Fepe, debería ser... ésta:

$$B\,R = A\,R - A\,B$$

—¿Qué es la R? —preguntó Luc.
—Es el punto de encuentro. Mira.
Y lo marcó en una simple línea horizontal:

────────────────────────────────
A B R

—Creo que lo recuerdo, sí —se animó Luc—. Nos lo explicó con palomas mensajeras o algo así, lo que pasa es que me pareció tan complicado que...
—Pasaste —le ayudó a completar la frase Adela.
—Sí —reconoció Luc.
—Yo también lo recuerdo —se recuperó de su enfado momentáneo Nico.
—Bienvenido —sonrió Adela.
—Venga, sigue —la apremió Luc.
—Bien... Pues... Puede decirse que el trayecto re-

corrido por el correo B es igual al recorrido por el A, menos el tiempo que media entre ambos puntos de partida, o sea que la primera ecuación...

$$Y = X - 60$$

—Como el correo A va a 5 kilómetros por hora —Adela hablaba muy despacio, concentrándose en la exposición del tema—, conseguiremos saber el número de horas que ha marchado dividiendo por 5 el total de kilómetros. Y ésa será la segunda ecuación:

$$Z = \frac{X}{5}$$

—Ahora bien, el correo B sólo va a 3 kilómetros por hora, luego el tiempo que ha empleado ha de ser...

—Ha de ser X menos 60 partido por 3 —lo empezó a ver claro Luc.

—¡Jo! —exclamó Nico empleando la expresión favorita de Adela.

La chica anotó la tercera ecuación:

$$W = \frac{X - 60}{3}$$

—Si el correo A partió 6 horas antes que el otro, ha debido emplear 6 horas más en llegar al lugar de reunión, así pues...

$$Z = W + 6$$

—Con esto tenemos las cuatro preguntas esenciales que nos formula el enunciado, camino recorrido por los dos y tiempo empleado por cada uno.

—Exacto.

Adela empezó a garabatear las resoluciones más fáciles, para agrupar los enunciados. Lo primero que hizo fue sustituir las incógnitas Z y W en la cuarta ecuación por sus valores, obtenidos de las ecuaciones segunda y tercera.

$$\frac{X}{5} = \frac{X - 60}{3} + 6$$

—Y ya está —exhibió una sonrisa de oreja a oreja.

—¿Cómo que ya está? —se abalanzó sobre el papel Nico.

—Una vez resuelta esta ecuación y sabiendo cuánto da X, no tenemos más que ir sustituyendo ese resultado por las X de las restantes ecuaciones y saber cuánto dan Y, Z y W.

Se lo demostró resolviendo la ecuación, ya muy elemental.

—X es 105 —anunció.

Luc tomó su relevo.

—Si X es 105, según la primera ecuación Y es 105 menos 60... ¡45! Y Z será de acuerdo con la segunda 105 dividido por 5... ¡21! Así que finalmente W es... ¡15!

—Lo que nos interesa es el 21, que es el tiempo invertido por el correo A.

Se apoyaron en el árbol agotados. Incluso Nico.

—¡Por los pelos! —reconoció Luc—. Si no llegas a acordarte...

—No sé si voy a acabar odiando aún más las mates o si van a terminar por gustarme —suspiró ella.

Nico y Luc la miraron con cara de espanto.

—¿Hablas en serio?

—¿No os gusta resolver todo esto? —indicó las operaciones—. La verdad es que a mí se me queda el cuerpo muy bien.

—Sí, si sabes hacerlo, sí, pero eso es lo malo, que nadie sabe, y acaba siendo una tortura china —puso el dedo en la llaga Nico.

—¿Intentamos la pista?

—¡Qué remedio!

Pero era lo que más temían, porque así, de buenas a primeras, no habían entendido nada.

Y sin pista número 7 no encontrarían el problema número 7.

Capítulo
(1 + 2 + 3 + 4 + 5)
15

LEYERON mentalmente las diez preguntas con los correspondientes indicios. Ninguno dijo nada. Volvieron a leerlas. Lo mismo.

—Bueno, ¿qué? —fue el primero en hablar Nico.

—Si es que no sé ni por dónde empezar —reconoció Adela.

—Esto no son mates ni nada —empezó a verlo todo negro Luc—. Esto es para... para... ¡para supercerebros!

—Si nos lo ha puesto a nosotros... —advirtió Nico.

—¿Pero tú te aclaras en algo? —rezongó Luc.

—Hombre, al menos hay dos pistas por las que empezar.

Ahora fueron Adela y Luc los que miraron impresionados a su amigo.

—¿Ah, sí?

—Sí —dijo él—. La cuatro y la cinco.

Adela le pasó el papel y el bolígrafo.

—Yo no he dicho que sepa hacerlo —se defendió Nico.

—Pero si sabes cómo empezar... —fue terminante Luc.

—Bueno, no sé... —vaciló.

Era el que más había protestado al ver la prueba.

—¡Inténtalo! —le pidió Adela.

—Por lo menos —empleó su tono más suplicante Luc.

Nico se rindió. De todas formas le picaba un gusanillo que...

Leyó las preguntas de nuevo.

—Está claro que hay 4 casas de distintos colores, 4 espías también de distintos colores, y que cada cual tiene un nombre y posee una pista. Hay que situar la pista 7 en la casa adecuada y con el nombre y el espía adecuado.

—¡Jo! —exclamó Adela.

—Muy bien, tío —lo animó Luc.

—Ahora, para meter todo esto de forma adecuada, hay que hacer un cuadro... así...

Y dibujó y escribió lo siguiente:

Casa				
Nombre				
Pista				
Espía				

—Nico, eres un genio —reconoció Luc.

El chico se hinchó levemente, pero no dijo nada. Comenzaba a meterse de lleno en la intriga, como cuando en un videojuego había que salir de una trampa mortal o llegar a otro nivel cuanto antes para no palmarla.

—Situemos ahora los indicios seguros, el cuatro y el cinco —dijo Nico—. El cuatro dice que la casa gris y la violeta son las de los extremos, o sea, que habrá una en cada punta.

—¿Y cómo sabemos que la gris es la de la derecha y la violeta es la de la izquierda? —preguntó Adela.

—No lo sabemos, así que habrá que hacer dos cuadros, el A y el B.

Y repitió el mismo cuadro, tras lo cual anotó el primer indicio:

A

Casa	Gris			Violeta
Nombre				
Pista				
Espía				

B

Casa	Violeta			Gris
Nombre				
Pista				
Espía				

—La pista cinco dice que Jorge vive en la casa violeta —continuó Nico.

—¡Entonces la siguiente válida es la nueve, que dice que la casa verde está a la derecha de la marrón! —se animó también Adela.

—¿Cómo va a ser válida si no sabes...? —objetó Luc.

—¡Claro que sí! ¡Puesto que las de los extremos son la violeta y la gris, la verde y la marrón están en el centro, y si la verde está a la derecha, es que la marrón está a la izquierda!

—¡La diez también se puede poner, porque dice que José es vecino del que vive en la casa violeta! —cantó Nico. Escribió rápido los nuevos datos en los dos cuadros, A y B:

A

Casa	Gris	Marrón	Verde	Violeta
Nombre			José	Jorge
Pista				
Espía				

B

Casa	Violeta	Marrón	Verde	Gris
Nombre	Jorge	José		
Pista				
Espía				

—Ahora veamos... —Nico volvió a leer las pistas aún no utilizadas desde el comienzo—. La una no podemos usarla, la dos... La dos sí, porque ya tenemos ubicada la casa marrón y aquí dice que en ella vive Pedro.

—Eso elimina el cuadro B —intervino por primera vez Luc—, ya que en el B resulta que quien vive en la marrón es José.

—Fuera el cuadro B —Nico lo tachó y colocó el nombre aportado por la pista dos: Pedro en la casa marrón.

—Con Pedro en la marrón, ¡el que queda, Juan, ha de vivir en la gris!

Otro nombre más. Ya tenían las casas y los nombres.

—Mirad la siete —señaló Adela—. Dice que Juan tiene la pista A.

Tras anotarlo todo, ahora el cuadro presentaba este aspecto:

A

Casa	Gris	Marrón	Verde	Violeta
Nombre	Juan	Pedro	José	Jorge
Pista	A			
Espía				

—Tenemos otro desdoblamiento de cuadros —hizo notar Nico.

—¿Por qué?

—Mirad: la seis dice que el espía azul vive entre el que tiene la pista M y el que tiene la pista X-9. Así pues, el espía azul vive en la casa verde, cuyo dueño es José, pero la pista M y la X-9 pueden estar la pri-

mera a la derecha y la segunda a la izquierda, o vicever-
sa, así que hay que hacer de nuevo dos cuadros, el A
que ya teníamos y otro al que llamaremos C —los tra-
zó y colocó los datos:

A

Casa	Gris	Marrón	Verde	Violeta
Nombre	Juan	Pedro	José	Jorge
Pista	A	X-9		M
Espía			Azul	

C

Casa	Gris	Marrón	Verde	Violeta
Nombre	Juan	Pedro	José	Jorge
Pista	A	M		X-9
Espía			Azul	

—¡Nos falta poquísimo! —no podía creerlo Luc.

—¡No me despistes, tú! —protestó Nico, concentra-
dísimo en el tema.

—Ahora no me aclaro —reconoció Adela—. Habrá que hacer más cuadros porque si el espía naranja
vive a la derecha del rojo, según el indicio uno, y el de
la pista M vive a dos casas del espía amarillo, según el
dos, y el amarillo y el azul son vecinos según el tres...

—No —dijo Nico—. Fíjate en el indicio uno. Dice
que el espía naranja vive a la derecha del espía rojo.

—Sí, ¿y qué?

—Pues que el espía naranja ha de vivir en la casa marrón, se llama Pedro y tiene la pista M.

—¿Por qué?

—Porque vive a la derecha del espía rojo y, siendo así, el espía rojo no puede vivir ni en la casa violeta, que está en la punta derecha, ni en la marrón, porque el vecino de la derecha de la marrón es el espía azul. El espía rojo sólo puede vivir en la casa gris si ha de tener de vecino a su derecha al espía naranja.

—¡Sopla! —dijo Luc comprendiendo que Nico tenía razón.

—Y si el espía rojo vive en la casa gris, el indicio ocho también es evidente: ¡amarillo y azul son vecinos!

Ahora los dos cuadros estaban así:

A

Casa	Gris	Marrón	Verde	Violeta
Nombre	Juan	Pedro	José	Jorge
Pista	A	X-9		M
Espía	Rojo	Naranja	Azul	Amarillo

C

Casa	Gris	Marrón	Verde	Violeta
Nombre	Juan	Pedro	José	Jorge
Pista	A	M		X-9
Espía	Rojo	Naranja	Azul	Amarillo

—Pues hay dos soluciones —parpadeó Luc—. Los dos cuadros cumplen los requisitos.

—No, señor —Nico parecía flotar—. El último indicio que no hemos usado y nos queda, el tres, dice que el espía amarillo vive a dos casas del que tiene la pista M. Por lo tanto...

—No puede estar en A. ¡El cuadro C es el bueno! —gritó Adela.

—¡Y la pista 7 está en la casa verde, del espía azul, que se llama José! ¡Bien! —la acompañó en su grito Luc.

Nico tenía los ojos abiertos como platos.

De pronto se daba cuenta.

Lo mismo que en el caso de las cajas que tenían que sumar 16.

¡Lo había hecho!

—Sopla —dijo—, ni yo mismo sabía que fuese tan listo.

Y contempló su obra:

C

Casa	Gris	Marrón	Verde	Violeta
Nombre	Juan	Pedro	José	Jorge
Pista	A	M	7	X-9
Espía	Rojo	Naranja	Azul	Amarillo

—¡Esto ha sido demasiado!

—¿Os habéis dado cuenta? ¡Parecía complicadísimo!

—Y lo era, pero con esto que ha hecho Nico de los cuadros...

Le palmearon la espalda.

—Bueno y ahora... —comenzó a decir Adela.

La realidad se abrió como un cuchillo por su entusiasmo.

—Eso, ¿y ahora qué?

—Pues que la pista 7...

Luc dejó de hablar.

—¿No había nada más en el enunciado? —se extrañó Adela.

—No —lo comprobó Nico—. Nada. Sólo pregunta: «¿Dónde está la pista 7?».

—Pues, según esto, en una casa verde propiedad de alguien llamado José y que es un espía azul.

Se miraron entre sí.

—¿Alguien conoce a una persona llamada José, que viva en una casa verde y que sea espía...?

Adela dejó de hablar.

Los tres agrandaron sus pupilas al límite, arqueando las cejas y abriendo la boca.

—¡José, el celador del cole! —gritaron al mismo tiempo.

Capítulo
(Mitad de los cuadros negros de un tablero de ajedrez)
16

JOSÉ vestía siempre de azul, pues llevaba una bata de ese color, un guardapolvos que era como su uniforme laboral. Y vivía en una casita de color verde, en la parte trasera del colegio. No era un espía, sino una muy buena persona, pero, teniendo que cuidar del orden en un centro tan grande, a veces se veía en la necesidad de ponerse duro para que no le tomaran el pelo y, si había que decir algo al director, lo hacía. La inmensa mayoría le apreciaba mucho.

—¡Vamos a terminar en las olimpíadas!

—¡No había corrido tanto en la vida!

—¡Pero ya sólo nos quedan dos problemas!

—¡Nico, no te quedes atrás!

—¡Ya os alcanzaré!

—¡Y un pimiento! ¡Corre!

—¡Esto es una venganza!

—¡Se nos acaba el tiempo!

El reloj de la iglesia se lo recordó. Así que hasta Nico redobló sus esfuerzos. Después de todo, era el héroe de la última pista. Eso le daba alas.

Llegaron al colegio en otro tiempo récord y lo rodearon por la parte de la derecha, que era la más corta. Cuando vieron la casita de color verde del señor José, con la puerta y las ventanas cerradas, se alarmaron una vez más. Apenas si podían hablar.

—¿Y... si no... está?

—¡Pues estará... en el cole!

—Si la pista decía... casa verde, espía azul, José y pista 7, es porque... estará ahí, seguro. El Fepe planeó esto... muy bien.

—Si no hubiera sido por la casualidad de que le matase el mismo que él tomó para el dichoso jueguecito...

Cada vez que recordaban que el artífice de todo aquello estaba muerto, su ánimo se enfriaba y se sentían fatal.

Pero ahora lo que les empujaba era la feroz determinación de vengarle.

Llegaron a la casa. Luc tocó el timbre. Esperaron ansiosos, jadeando por la carrera que se habían dado. Pronto oyeron unos pasos detrás de la puerta y respiraron aliviados. Pero cuando la hoja de madera se abrió, la que apareció en el quicio era la esposa del señor José, la señora Eulalia.

—Hola, ¿qué queréis? —les sonrió dulce aunque extrañada.

—Ver a su marido.

—Sí, al señor José.

—¿Está?

Como los tres hablaron al mismo tiempo, la mujer tardó un par de segundos en reaccionar.

—Voy a buscarle. Esperad aquí. Está en la parte de atrás haciendo no sé qué.

Los dejó solos en la puerta, nerviosos, inquietos.

Luc miraba un edificio en construcción, cerca de donde se encontraban. Las máquinas echaban hormigón en unos enormes *planchés*. Casi por asociación, recordó el cuerpo ensangrentado del profesor de matemáticas y su sorprendente desaparición.

—¿Y si está en un lugar así?

—¿Quién? —inquirió Adela.

—El profe de mates.

—¿Dónde?

—Metido en hormigón.

—¡Ay, calla! —se estremeció Adela.

—¿Dónde habrá llevado el asesino el cadáver?

—Lo habrá escondido, fijo —intervino Nico, ya más recuperado.

—Es lo que digo yo —continuó Luc—. Si el asesino va a huir a las seis, tiene que procurar que nadie encuentre el cuerpo no sólo antes de esa hora, sino incluso en días.

—Lo habrá echado a un vertedero —afirmó Nico.

—O lo habrá quemado —aportó otra teoría Luc.

—O lo habrá descuartizado —siguió Nico.

—O...

—¿Queréis callaros? —gritó Adela espantada—. ¡Sois unos bestias!

—Bueno, son ideas —argumentó Luc.

—¿Y tú lees novelas policiacas? —se extrañó Nico.

—¡Es distinto, en las novelas no conozco a la persona muerta!

Luc no estaba dispuesto a renunciar a sus disquisiciones mentales.

—Hay algo más —apuntó—. Está claro que el asesino es un hombre.

—¿Por qué? —quiso saber Nico.

—Porque no pudo llevárselo una mujer, pesaba demasiado —fue categórico—. Estábamos en mitad del solar.

—Y no sólo lo hizo, sino que además limpió la sangre del suelo en unos minutos —intervino ahora Adela más interesada.

—¿Y si era una mujer fuerte?

—No tuvo tiempo.

—¿Y si tenía un cómplice?

Fue automático. Los tres miraron recelosos e inseguros más allá de los muros del colegio, por si notaban algo raro. Alguien con unos binoculares o cualquier cosa parecida. Tal vez un rifle de precisión con mira telescópica.

Se llevaron un buen susto cuando oyeron la voz sonora y rotunda del señor José, habituado a gritar y a imponerse con fuerza mediante su tono.

—¡Hola, chicos!

Se volvieron y le miraron. Vestía su habitual mono azul. Y sonreía.

—Os estaba esperando —dijo el hombre.

—¿Ah, sí?

—Me dijo el señor Romero que vendríais y que os entregara esto.

El sobre señalizado con la última pista y el problema 7.

—Gracias —Adela alargó la mano.

—Un momento, un momento —lo retuvo en la suya—. Me dijo que os lo diera si llegabais antes de las seis.

—Aún no son las seis —aseguró Luc.

—Falta mucho para las seis —dijo vehemente Nico, aunque la verdad era que apenas si restaba ya una media hora.

—Entonces aquí está —extendió su mano con el rectángulo de papel.

Adela lo atrapó.

—Gracias, señor José —iniciaron la retirada.

—¿Se puede saber en qué demonios andáis metidos? —ladeó la cabeza con la ceja del ojo izquierdo arqueada el celador del colegio.

—Es muy largo de contar.

—Pues el profesor Romero parecía muy feliz y contento cuando me dio ese sobre.

—Es que...

No supieron qué decirle.

Y el tiempo apremiaba. Ahora muy en serio.

—¡Nos veremos el lunes!

Echaron a correr, salieron del colegio y volvieron a la esquina en la que habían resuelto los primeros problemas. Cuando aterrizaron en el suelo, bajo su amparo, Adela ya estaba abriendo el sobre con mano nerviosa.

—Vamos, lee, lee —se murió de nervios Luc.

Y leyó:

PROBLEMA 7: *¿Cuánto mide la diagonal A-B?*

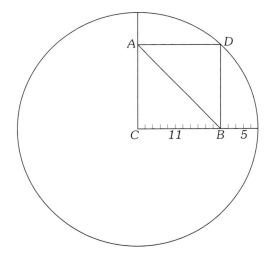

PISTA PARA DAR CON EL ÚLTIMO SOBRE: *El último sobre, queridos míos, está en una estatua. ¿Cuál? Si la encontráis y aún tenéis tiempo, podréis conseguir el sobre y resolver el último problema. Si os equivocáis de estatua y vais justos, no lo conseguiréis. Así que atención. Hay dos posibles estatuas, la del parque, que está a diez minutos a la carrera en una dirección, y la de la plaza,*

que está a diez minutos a la carrera en dirección opuesta. Seguramente sólo tendréis una oportunidad. ¿Cuál es la estatua buena? Si sabéis resolver la pista final, lo sabréis.

Pista: Un explorador se encuentra con dos indígenas pertenecientes a dos tribus distintas. Una tribu es la de los falsos, que siempre mienten, y otra la de los auténticos, que dicen siempre la verdad. Uno de los indígenas es alto, y el otro bajo. El explorador les pregunta: «¿Dónde está la estatua con el sobre de la última prueba?». El indígena bajo le dice: «En el parque». Y el indígena alto le responde: «En la plaza». Pero, ¿cuál de los dos miente y cuál dice la verdad? Para saberlo, el explorador les hace dos nuevas preguntas. Al más alto lo interroga así: «¿Eres de la tribu que siempre dice la verdad?». Y el indígena alto le contesta: «Sí». Entonces pregunta al más bajo: «¿Ha dicho la verdad?». Y el más bajo le responde: «No». ¿A cuál hay que creer, al alto o al bajo? Si lo sabéis, sabréis dónde está el sobre.

Nota: Si habéis llegado hasta aquí, ¿vais a fallar ahora? ¡Ánimo!

Como otras veces, la complejidad de la pista les desbordó y se olvidaron del problema.

—¿Pero qué tontería es esa de la verdad y la mentira?

—¡Qué pasada!

—¿Cómo vamos a saber cuál dice la verdad y cuál dice una mentira, por Dios?

—Vamos, vamos, que es la última pista...

—Si nos equivocamos de estatua, ya no tendremos tiempo de ir a la otra, resolver el problema y dar con el asesino. ¡Hay que acertarla!

—¿Y si probamos a suertes? ¡Es el cincuenta por ciento!

—Después de lo que nos ha costado llegar hasta aquí usando la cabeza, ¿quieres arriesgarte al final con la suerte?

Luc trató de poner calma.

—¿Y el problema? —dijo.

—Está chupado, se resuelve con una ecuación de nada —dijo Adela—. La suma de los cuadrados de los catetos es igual al cuadrado de la hipotenusa, ¿lo habéis olvidado?

—¿Seguro? —dudó Nico.

—Seguro.

—A ver.

Le pasó a su amiga el bolígrafo, que había conservado en su poder. Adela comenzó a buscar la hipotenusa del triángulo formado por A, B y C, contando los espacios existentes entre A y C por un lado y B y C por el otro.

Luc miró fijamente el dibujo y esbozó una súbita sonrisa.

—No hace falta que multipliques ni sumes ni restes nada —le dijo.

—¿Ah, no? ¿A ver?

—El resultado es 16.

—¡Sí, hombre!

—Te digo que es 16.

—¿Cómo lo sabes? —balbuceó Nico.

—Es un truco para hacernos perder tiempo. ¿No veis que la línea A-B es exactamente igual que la que pudiéramos trazar de C a D, y que en este caso es el radio de la circunferencia, que es 16?

Adela se dio cuenta de que Luc tenía razón.

—¡Muy bien! —se sorprendió.

—¡Fantástico! —asintió Nico.

—Pues hemos ganado unos minutos preciosos —reconoció la chica—. Si adivinamos cuál de los dos indígenas dice la verdad...

Se concentraron en el acertijo de las dos tribus.

—Si el alto dice la verdad, el bajo... —comenzó a razonar Luc.

—Pero si dice una mentira y el otro... —intentó seguir el hilo de un razonamiento lógico Nico.

—Supongamos que es el bajo el que miente —buscó un camino para descifrar aquel enigma Adela.

Se sintieron perdidos.

Y el tiempo ya corría en su contra.

Diez minutos hasta una de las dos estatuas, más el tiempo de resolver el último problema, más lo que tardaran en atarlo todo y luego ir a donde estuviese el asesino para vigilarle, seguirle o denunciarle antes de que escapara...

—No vamos a conseguirlo —se hundió Nico.

—Es demasiado complicado, tendremos que arriesgarnos —propuso Luc—. Voto porque vayamos a la plaza.

—No, no... —se aferró a sus deducciones Adela—. Dejadme pensar. No digáis nada.

Se callaron.

—Veamos... Cuando el alto dice que sí... Supongamos que es de la tribu que dice la verdad. Eso significaría que sí, que dice la verdad. Pero si es de los mentirosos... debe mentir y entonces... ¡la respuesta seguiría siendo que sí!

Estaban blancos.

—Luego... —intentó continuar Luc sin conseguirlo.

—Luego si el bajo ha dicho que no, que el alto no ha dicho la verdad..., ¡él también está diciendo la verdad al asegurar que su compañero es un mentiroso!

Luc y Nico se habían perdido, pero les bastó ver el entusiasmo de Adela para saber que ella estaba segura de sus deducciones detectivescas.

—¡El alto miente y el bajo dice la verdad! ¡El sobre está en la estatua del parque!

De vuelta a la carrera.

Pero estando tan y tan cerca, ninguno hizo oír la menor protesta. Cada segundo contaba.

Y en diez segundos ya no eran más que tres puntitos en el horizonte urbano, corriendo enloquecidos.

Capítulo
(395 x 14 x 9.278.602 x 7 x
19.588 x 0 x 1 + 17)
17

LA última prueba. El último problema.

Podían tocar el éxito con las manos.

Descubrir al odioso asesino del pobre profesor de matemáticas.

Ya sería tarde, nada le devolvería la vida, pero al menos él estaría orgulloso.

Y ellos.

—¡Yo corro más! —gritó Luc a medio camino al darse cuenta de que Adela y Nico le retrasaban.

—¡Sí, adelántate por si puedes ir resolviendo el problema!

Aceleró y los dejó atrás.

En un momento ya los había perdido de vista.

Cruzó calles, sorteó coches y motos cuyos dueños protestaron airados, regateó a cuantos paseantes y demás fauna urbana se cruzaron en su camino, saltó, patinó, hizo las mil y una, con las zapatillas tocándole el trasero de la velocidad a la que corría.

Cuando llegó al parque el corazón le iba a mil por hora.

Se metió de cabeza en él.

La estatua estaba en el centro y era muy grande. Eso implicaba tener que buscar el sobre y, a lo peor, encaramarse por ella. Sólo faltaría que alguien le llamara la atención o un guardia se lo impidiera. Con intentar explicarle de qué iba la cosa, ya se les acabaría el tiempo. Llegó hasta la placita central, rodeada de bancos en los que descansaban ancianos y ancianas, y, sobre todo, mamás con sus retoños apurando el sol de la tarde, y comenzó a dar vueltas en torno a la estatua, que era la de un gran escritor que había nacido allí mismo, en una calle de al lado. También dio saltos, buscando el dichoso sobre.

Hasta que lo descubrió. En los pies del escritor, bajo una piedra que impedía que volara.

Saltó la cerca, se encaramó al pedestal, alargó la mano y retiró el sobre antes de que nadie le viera o pudiera protestar. El sobre, además de un gran número 8 entre signos de admiración, tenía una enorme cagadita de paloma en un ángulo.

—¡Oh, no! —tembló—. ¡Como se haya borrado el texto a causa de eso...!

El profesor Romero no había pensado en todo.

Lo abrió temblando y suspiró aliviado. La huella de la defecación palomar era visible, pero afortunadamente no había corrido la tinta con la que estaba escrito el problema.

Trató de calmarse lo justo para leer el enunciado.

Lo hizo una vez, tan rápido que...

Pero ya no hizo falta más.

Abrumado, desfallecido y sobre todo derrotado, se dejó caer al suelo con unas enormes ganas de llorar, que evitó por puro orgullo.

Sintió rabia.

Tan cerca...

Tan y tan cerca...

Y ahora aquello.

—¿Por qué, profe? —lamentó.

Miró en la dirección en que tenían que llegar Adela y Nico.

Tardaron todavía un par de minutos en aparecer por el paseo central del parque y casi otro en llegar hasta él. Cuando lo vieron, los dos dejaron de correr automáticamente. Su cara era lo bastante expresiva.

—¿Qué pasa? —se alarmó Adela.

Nico no dijo nada. No podía.

—Hemos perdido —se encogió de hombros Luc.

—¡No! ¿Por qué?

El muchacho les entregó la hoja de papel para que ella y Nico leyeran la última pregunta. Ésta:

PROBLEMA NÚMERO 8 Y ÚLTIMO: *Un hombre llenó con la sexta parte de su vida su infancia, con la duodécima su adolescencia y juventud. Se casó pasada la séptima parte de esa vida y tuvo un hijo cinco años después de la boda. Lamentablemente, ese hijo murió cuando tenía la mitad de la edad de su padre. Triste por la pérdida, el hom-*

bre murió cuatro años después. ¿Cuál era la edad de su nieto, si al morir tenía 65 años más que él?

Pues ya está, colegas. Ahora con los ocho resultados ya no tenéis más que dar con el nombre de mi presunto asesino y resolver El asesinato del profesor de matemáticas. *Lo conseguiréis si jugáis a espías y dais con la clave. Ah: sin letras compuestas como ch o ll, ¿vale? ¡Enhorabuena! ¡Y preparaos para la gran sorpresa!*

—¡Es el problema que no supimos resolver en el examen! —exhaló Adela.

—¡El mismo maldito problema! —masculló entre dientes Luc.

—¿Por qué? —pudo proferir acaloradísimo Nico.

—¿Y por qué al final, cuando ya lo teníamos? —las lágrimas sí asomaron al rostro de Adela.

—Oh, no... ¡No! —la idea de la derrota se apoderó de Nico.

¡Tenía que ser aquel problema!

Se sentaron uno a cada lado de Luc. O mejor decir que se dejaron caer derrengados.

—No es justo.

—Es más que eso, es...

—Es una cerdada.

Ni siquiera compartir aquel fracaso les servía de consuelo. Se sentían como tres redomados inútiles.

—Quería que lo resolviéramos, eso es todo. Ya nos dijo que le parecía extraño que no lo hubiéramos hecho —dijo Adela.

—Pues ya me diréis: yo ni lo empecé —manifestó Nico.

—Yo llegué a plantearlo en realidad, aparte, en lo de las operaciones, pero como si nada —admitió Luc.

—Yo creí que lo había resuelto, pero los resultados finales no concordaban —exhaló muy triste Adela.

—¿Qué resultados finales? —arrugó la cara Luc mirándola.

—Pues planteé los quebrados e hice lo del mínimo común denominador, pero al final lo de arriba no era igual que lo de abajo, así que ya... Ni pasé las operaciones al espacio para resolver el problema. No vi ninguna salida, llegó la hora y... ¡adiós!

—Tú al menos lo planteaste —dijo Nico con admiración—. Eso tendría que contar.

—Vamos, tampoco te castigues la moral, hemos demostrado que somos bastante buenos —quiso alentarlo Adela.

—En equipo —le quitó importancia Nico.

—Bueno, en equipo, pero lo somos —afirmó ella—. Cada uno ha aportado algo, y sin ello no estaríamos aquí ahora.

—Vencidos —dijo fúnebre Nico.

—Sólo por una prueba y...

—Espera, espera —insistió Luc, todavía colgado de las palabras de su compañera y con la misma cara arrugada—. Plantea la resolución como dices que hiciste.

—No vale la pena. No da.

—Hazlo. A lo mejor Nico y yo...

Adela se encogió de hombros.

Sacó el bolígrafo que había guardado en el bolsillo antes de echar a correr y, tomando una gran bocanada de aire, empezó a escribir al dorso de la hoja de papel cuadriculado con el enunciado de la última pregunta.

—Ese hombre ha vivido la sexta parte de su vida con la infancia, la duodécima con la adolescencia y juventud, se casa pasada la séptima parte de su existencia y cuando su hijo tiene la mitad de su edad va y la palma. Bueno, pues en teoría habría que sumar todas esas fracciones. Así:

$$\frac{1}{6} + \frac{1}{12} + \frac{1}{7} + \frac{1}{2}$$

—¿Mezclándolo todo? —preguntó Nico.

—Ya te digo que en teoría sí. Pero en la práctica no sale —volvió a decir Adela.

—A ver, sigue —fue tozudo Luc.

—Mira, lo haré paso a paso, pesado: busco el común denominador:

$$\frac{1}{2 \times 3} + \frac{1}{2 \times 2 \times 3} + \frac{1}{7} + \frac{1}{2}$$

—Ahora, el mínimo común denominador es 2 por 3 por 7 por 2, ¿me seguís?

—Sí —asintieron Luc y Nico.

—Eso da 84 —hizo las multiplicaciones Adela.

—Muy bien —corroboraron ellos.

—Ahora los quebrados quedan así:

$$\frac{14}{84} + \frac{7}{84} + \frac{12}{84} + \frac{42}{84}$$

—Por consiguiente, y sigo paso a paso para que no os perdáis, el quebrado final es éste:

$$\frac{14+7+12+42}{84}$$

—Pues sí —convino Nico.

—Eso está bien —asintió Luc.

—¿Entonces por qué arriba me sale 75 y abajo 84?

—¿Qué?

—¿Cómo?

—Sumad lo de arriba —les pidió Adela.

Era cierto. El resultado final daba:

$$\frac{75}{84}$$

—¿Vale, listo? —se enfurruñó Adela.

—Pero si eso está bien —dijo Nico—. ¿Cómo es posible que no...?

—Tiene razón —aseveró Luc boquiabierto—. El problema se resuelve así, ahora recuerdo que puso algo parecido.

—Pues aquí no hay truco que valga —manifestó Nico.

Luc sintió una descarga de energía.

De arriba abajo.

—¿Qué has dicho?

—Que aquí no hay truco que valga —repitió Nico.

Luc leyó el enunciado.

—¡Seremos... idiotas! —exhaló.

—¿Qué pasa? —se envaró Adela.

—¡Tiene truco! —se puso a gritar—. No lo es del todo, pero como somos tres cabezas cuadradas... ¡Claro que tiene truco!

—¿Dónde?

—Pero si el enunciado no dice nada más que...

—¡Lo dice! ¿No lo veis? ¡Lo dice! ¡Es genial! —Luc estaba como poseído—. ¡Es tan claro que lo hemos pasado por alto!

—¿Qué hemos pasado por alto? —le zarandeó Adela.

—¡El 4 y el 5!

Abrieron la boca. Ya no hacía falta, pero Luc se lo dijo con palabras:

—¡Nos hemos olvidado de incluir los 5 años que pasaron desde la boda hasta el nacimiento de su hijo, y los 4 transcurridos desde la muerte de ese hijo hasta la suya! ¡4 y 5... suman 9!

—¡Y 75 y 9...!

—¡... suman 84!

Lo habían resuelto.

¡Lo habían resuelto!

—¡Ay, Dios! —suspiró Adela, mitad sorprendida mitad rabiosa—. Lo tenía, ¡lo tenía!, pero no supe ver ese dichoso...

—¡Pero ahora ya está! —se puso en pie de un salto Luc.

—¡La edad del hombre era 84 años y, si al morir era 65 años mayor que su nieto, el nieto tenía entonces 19 años! —le imitó Adela.

—¡El resultado es 19! —hizo lo propio olvidándose de su cansancio Nico.

—¡Tenemos los ocho resultados de los ocho problemas!

Gritaban tanto que la gente los miraba como si estuviesen locos. Pero encima, cuando empezaron a dar saltos abrazados entre sí, la desconfianza ya fue total. Las mamás llamaron rápidamente a sus retoños por si aquellos tres se ponían peligrosos.

Claro que eso duró tan sólo unos segundos.

Dejaron de gritar, abrazarse y dar saltos para plantearse la última pregunta, la definitiva:

—¿Y ahora qué?

Capítulo
(XXV – VII)
18

PUES ahora...

—Tenemos ocho resultados y...

—Eso, ocho cifras que...

Su entusiasmo se evaporó como por arte de magia.

—¿Qué dice al final? —intentó tranquilizarse Luc.

—Dice que juguemos a espías y demos con la clave —leyó Adela.

—Y que no utilicemos letras compuestas como ch o ll —concluyó Nico.

—¿Y eso qué quiere decir?

No tenían ni idea.

—¿Tú has jugado a espías alguna vez? —preguntó Luc.

—No —dijo Nico.

—¿Pero sabéis cómo se juega? —inquirió espantada Adela.

—No —reconocieron ellos dos.

—No me lo puedo creer —abrió la boca ella—. ¿Me estáis diciendo que la clave es algo que no conocemos?

—Pues el Fepe pensaba que sí.

—O a lo mejor...

—No me lo puedo creer —repitió Adela—. ¿Tenemos ocho cifras y no sabemos cómo convertirlas en una pista?

—A ver, no nos pongamos nerviosos —Luc buscó un poco de calma donde no la había—. ¿Cuáles son los resultados de los ocho problemas?

—El primero daba 4, el segundo 9, el tercero...

—No, no, escribámoslos para verlos —le dijo a Adela, que aún tenía el bolígrafo.

Ella lo hizo:

$$4 \quad 9 \quad 19 \quad 5 \quad 3 \quad 21 \quad 16 \quad 19$$

—Vamos a sumarlo todo, a ver qué da —propuso Luc.

—El resultado es... 96 —acabó de hacer la suma la muchacha.

—¿Os recuerda algo, como lo del 2.001 la matrícula del Galáctico o el 40 el número de la taquilla?

—No —respondió Adela.

Nico hizo memoria.

—No —reconoció.

—Vamos, vamos, tiene que significar alguna cosa —los apremió Luc.

—Dice que juguemos a espías, eso descarta que el número sea el de una dirección o cualquier cosa más —hizo hincapié en el detalle Adela.

—¿Y con las iniciales de los números?

Adela las escribió:

C N D C T V D D

—Eso no dice nada —movió la cabeza Nico.

—Ha de haber un orden, una pauta —Luc se estaba desesperando.

—Mira que si nos hemos equivocado en uno de los resultados y por eso no nos sale nada —manifestó Nico.

—¿Quién podría saber jugar a espías? —preguntó Adela.

—Javier Gálvez. Siempre se está inventando juegos —dijo Luc.

—¿Tenéis el teléfono?

—No, y vive lejos.

—No puedo creerlo, ¡si es que no puedo creerlo! —volvió a desesperarse Nico.

—Tranquilos, tranquilos, nos estamos dejando llevar por la...

—¿Tranquilos? —la detuvo Luc—. ¡Faltan diez minutos para las seis, y ni siquiera sabemos adónde deberíamos ir en caso de que supiéramos el nombre del asesino! ¡A lo peor está al otro lado de la ciudad!

—Espera, ¿qué has dicho? —frunció el ceño Adela.

—¡Que faltan diez minutos para las seis!

—No, lo del nombre del asesino.

—Pues eso, que no sabemos el nombre.

Adela miró las ocho cifras.

—Esto ha de equivaler a un nombre, está claro —musitó expectante.

—Si cada número fuese una letra, ¿qué clave utilizaríamos? —siguió el hilo de sus pensamientos Nico.

Incluso Luc se abalanzó de nuevo sobre el papel.

—Espías...

—No usar ch ni ll...

—Un nombre...

En esta ocasión no fueron uno ni dos, sino los tres al unísono. Un grito.

—¡El alfabeto!

La mano de Adela empezó a escribir precipitadamente las letras del alfabeto, pasando de la duda de si la ch o la ll eran compuestas o no. Después les puso un número a cada una debajo. El número de su orden de la A a la Z:

A	B	C	D	E	F	G	H	I	J	K	L	M	N	Ñ	O	P	Q	R	S	T	U	V	W	X	Y	Z
1	2	3	4	5	6	7	8	9	10	11	12	13	14	15	16	17	18	19	20	21	22	23	24	25	26	27

—Sí, sí... ¡sí! —empezó a verlo claro Luc.

—¡Ay, Dios! ¡Ay, Dios! —tembló Nico.

—Tiene que ser eso, por fuerza. ¡Ha de serlo! —gritó Adela.

Comenzó a sustituir los números por letras.

—El 4 sería una D, el 9 sería una I, el 19 corresponde a la R, el 5 es una E, el 3...

Ella iba escribiendo las letras a toda prisa, pero Luc y Nico iban leyendo ya la palabra, y con las tres primeras abrieron los ojos, con la cuarta se dieron cuenta de que era verdad, con la quinta tragaron saliva...

—¡Ya está! —anunció Adela.

Había escrito:

DIRECTOR

Sin error posible.
Tan claro como evidente.

Capítulo
(0 + 19 − 0)
19

MARIANO Fernández.

Director del colegio al que iban.

Ni más ni menos.

Se quedaron paralizados.

—He estado esta misma tarde... con él —se estremeció Adela—. Me ha tenido allí, con el sobre en... en la mano y...

La realidad se abría paso por entre sus enturbiadas mentes.

Ya no les importaba haberlo descubierto, haber resuelto los ocho problemas, las siete pistas, haber cumplido la voluntad de su profesor de matemáticas. La magnitud de aquel nombre era como pretender acusar a...

¡Era el director de su colegio!

—¡Nadie va a creernos! —lo resumió Nico.

—¡No tenemos pruebas! —fue explícito Luc.

—¡Nos matará a nosotros también! —siguió pensando en su encuentro anterior Adela.

La miraron.

—¿A los tres?

—¡No puede matarnos a los tres!

—¿No pretenderéis que vayamos allí y...? —Adela estaba hecha un flan.

—Si ve que alguien lo sabe, se entregará, seguro —vaticinó Luc.

—No, se va a escapar, como dijo el Fepe —puso la evidencia decisiva Nico.

—¡Escapar!

—¿Qué hora es?

—¡Faltan nueve minutos para las seis!

No fue premeditado. Ni lo hablaron. Sólo fue instintivo.

Se levantaron los tres y volvieron al colegio a más velocidad aún que a la ida, lo cual ya era de por sí difícil. La única diferencia es que esta vez Luc no se adelantó. No quería llegar el primero y solo.

Ahora estaban los tres metidos hasta el cuello en aquel espantoso lío.

Los tres.

—¡Corre, Nico!

—¡Ya, ya!

—¡Vamos, Adela!

Cruzaron calles, sortearon coches y motos cuyos dueños protestaron airados, regatearon a cuantos paseantes y demás fauna urbana se cruzaron en su camino, saltaron, patinaron, hicieron las mil y una, con las zapatillas tocándoles los traseros debido a la velocidad a la que iban. Sólo se detuvieron en un semáforo, menos de cinco segundos.

—¡Podía haber puesto las pistas más cerca!

—¡Claro que... cómo iba a saber él que...!

—¡Tres minutos!

Otra vez a la carrera.

Dos minutos.

Uno.

La imagen del colegio se recortó en su horizonte tras la última calle. Entendían por fin por qué el asesino se iba a escapar a las seis. Ésa era la hora en que salía el director los viernes por la tarde. Lo más seguro era que no pensara regresar.

Lo que no entendían era el motivo.

Y bien pensado, tampoco lo de la huida a las seis.

Ni cómo Felipe Romero...

No podían pensar y correr, así que dejaron de pensar. Hicieron los últimos metros a una velocidad de infarto, sobre todo para Nico, y se precipitaron sobre la puerta del colegio, todavía abierta, en el mismo instante en que en el campanario cercano sonaba la primera de las seis campanadas horarias.

La puerta del despacho de dirección estaba abierta.

Y la cruzaron en tropel.

Como una banda de salteadores de caminos.

Al primero que vieron, de cara, tranquilamente sentado en su butaca, fue a Mariano Fernández, el director, el asesino, sonriente, con las yemas de los dedos unidas y apoyadas en sus extremos bajo la barbilla. Tan tranquilo como feliz.

Pero allí había alguien más.

Una visita.

De espaldas a ellos.

—Hola, chicos —los saludó el asesino.

La visita volvió la cabeza.

Entonces sí se quedaron de una pieza.

Helados.

Blancos.

Porque allí estaba el asesinado, o mejor llamarlo ya el presunto asesinado, más sano que unas pascuas, igualmente sonriente sólo que acentuándolo de oreja a oreja, y con un aspecto de felicidad que contrastaba de todas todas con el que le imaginaban después de haberle visto cosido a balazos tres horas antes.

—¡Profe! —exclamaron alucinados.

Capítulo
(¿Cómo se escribe 20 con cuatro
nueves?)
20
(9 + 99/9)

DEBÍAN tener cara de chiste, porque Felipe Romero se echó a reír.

—¡Hola, chicos! —los saludó.

Adela se pellizcó. Nico no pudo cerrar la boca. Luc tenía el ceño tan fruncido que parecía sufrir un violento dolor de estomago.

—¡Está... vivo! —consiguió decir Adela.

—Del todo.

—Pe-pe-pero... —tartamudeó Nico.

—¡Nosotros le vimos muerto con tres disparos en...! —quiso insistir Luc.

—Uno tiene su vida privada —el profesor de matemáticas se encogió de hombros—. Hace tres meses que tengo novia, y es experta en efectos especiales. Trabaja en el mundo del cine. Cuando se me ocurrió la idea, ya me dijo que lo más fácil era eso: imitar disparos y sangre. Un poco de maquillaje mortal y listos. ¿No me salió mal la escena verdad?

—¡Profe, casi me muero yo del susto! —protestó Adela.

—Eso sí, lo reconozco. Cuando vi que te echabas a llorar... —puso cara de culpa—, estuve a punto de dejar de hacer comedia.

—¡Fuimos a buscar a la policía!

—Os estaba observando desde lejos. Menos mal que escapasteis. Naturalmente también hubiera salido si os detienen o algo así.

—¡Jo, no hay derecho!

—Lo hice por vuestro bien.

—¿Por nuestro bien? —rezongó Luc.

—Vamos, vamos. Calmaos. Lo habéis conseguido.

—¿Qué hemos conseguido?

—Estáis aquí, ¿no? Y a las seis en punto. Eso significa que habéis resuelto las pruebas y descubierto al... asesino —señaló a Mariano Fernández, que también daba la impresión de pasarlo bastante bien con todo aquello.

—¿Usted sabía...? —balbuceó Adela.

—Lo sabía, sí —admitió el director, que ahora tenía aspecto de todo menos de hombre feroz—. Es más, aposté con el profesor Romero a que no lo conseguiríais. Yo no tenía la fe que él sí tenía en vosotros. Y he perdido, de lo cual me alegro. Siempre es mejor aprobar, aunque sea de forma tan rocambolesca como ésta.

—¿Estamos aprobados? —el corazón de Nico empezó a latir.

—Os lo habéis ganado —admitió el profesor de matemáticas.

La alegría del aprobado no menguó el desconcierto

que aún sentían. Habían pasado las tres peores horas de su vida.

¿O no?

—¿Por qué tuvo que montar todo este número? —inquirió Adela.

—Porque tenía que motivaros —fue directo Felipe Romero—. ¿Recordáis nuestra charla en el patio? Que si os bloqueabais, que si no os entraban las matemáticas, que si las odiáis, que si no es lo vuestro, que si esto y que si aquello y que si lo de más allá... Tonterías. Ya os dije que era un juego.

—¡No fue un juego! ¡Fingió su muerte! ¡Lo hemos pasado fatal! —insistió Adela.

—Vaya, creía que a todos los alumnos les gustaba la idea de que alguien se cargara al profe de mates —mantuvo su feliz calma Felipe Romero.

—¡Hombre...! —exclamó Nico.

Se puso rojo cuando el maestro le miró con sorna.

—Si hubierais sabido que era un juego, no habríais hecho ni la mitad del esfuerzo. Además, ya que era una segunda oportunidad, pero también un examen encubierto, el límite de tiempo era algo de justicia. Dado que sois tres...

—¡Nos ha puesto quince problemas! —gritó Luc.

—Por eso mismo, porque sois tres y teníais tres horas. De todas formas no han sido quince, sino ocho. Lo otro eran pistas deductivas.

No podían más. Aún estaban de pie, agotados por la última carrera. Había un sofá en la parte izquierda,

con una mesita delante, y Adela fue la primera en de-
rrumbarse en él. Nico la imitó y el tercero, sólo para
no ser el único que estaba de pie, fue Luc.

Aún no acababan de verlo claro.

—Les oímos pelearse a los dos —musitó la chica.

—¿Lo del otro día? No era una pelea, era una discusión —intervino el director del centro—. Las personas tienen diferencias de opinión y de criterio, y
dado que yo soy el que manda y el profesor Romero
tiene algunas ideas... peculiares, es normal que a veces no estemos de acuerdo. Cuando me explicó lo
que pensaba hacer con vosotros, tampoco estuve de
acuerdo. No me pareció bien. Si esto se supiera, todos los alumnos querrían una segunda oportunidad
en junio, no en septiembre. Pero Romero estaba seguro de que vosotros no erais tontos y que lo único
que os pasaba era que ese rechazo a la asignatura os
perjudicaba.

—Gracias a vosotros he ganado la apuesta que hice
y voy a conseguir algunos cambios y mejoras —Felipe
Romero les guiñó un ojo.

—Es... increíble —parpadeó Luc.

—Os he demostrado que podíais, ¿no?

—¡Jo! —bufó Adela.

—Ya habéis oído al señor Fernández —les recordó—. Ni una palabra de esto a nadie. Era algo entre
vosotros y yo. Me fastidiaba ese rechazo vuestro.

—No va a creer que estamos curados, ¿verdad?
—dudó Luc.

—Más os vale —fue categórico Felipe Romero—. Después de esto, el próximo curso os voy a exigir nota de entrada.

—¡Profe!

—¡Sí, hombre, venga!

—¡Hala!

Parecía todo dicho, pero no. Aún quedaba un par de cuestiones. El profesor de matemáticas abordó la primera.

—¿Habéis resuelto todos los problemas?

—Sí —dijo Adela.

Y tenían las pruebas: las hojas con las preguntas, en las que habían escrito las respuestas. Las habían guardado sin darse cuenta en los bolsillos de sus vaqueros al acabar.

—¿Incluso el de la mosca y las dos bicicletas?

—Sí, ¿por qué?

—Porque ese problema es muy difícil, querida. Lo han fallado hasta grandes matemáticos, empeñados en buscar fórmulas o haciendo sumas infinitas, cuando es elemental.

—¿Y si llegamos a fallar una pista como ésa? Un problema de menos hubiera sido una letra menos, pero si fallamos una pista y no damos con el siguiente sobre... —preguntó Luc.

—Bueno, en el caso de la mosca, imagino que habríais ido al parque y mirado todos los árboles hasta dar con el adecuado, aunque eso os hubiera llevado mucho tiempo. Peor era el de las casas, los espías de colores, los nombres y las pistas.

—¡Ése ha sido condenadamente difícil! —reconoció Adela.

—Lo ha resuelto Nico —Luc le palmeó la espalda a su amigo.

—Sé que todos habéis resuelto alguno, por intuición, por saberlo, por deducción, por fórmulas matemáticas... Y también en equipo.

—¡Anda que no tiene imaginación ni nada, profe! —suspiró Adela—. Ese de los espías era muy bueno, y el de las cajas que sumaban 16 también.

—Y el del tablón de anuncios —agregó Nico.

—Y el de las páginas del libro y los Cuatro Jinetes del Apocalipsis y la mitad no sé qué de 8 —apuntó a su vez Luc.

—Bueno —Felipe Romero hizo entrechocar sus manos dando por finalizada la reunión—. Yo creo que ahora nos hemos ganado todos un buen fin de semana.

—Oiga —Adela puso el dedo en la principal llaga—, ¿y qué nota va a ponernos?

Ésa era la segunda cuestión.

Felipe Romero volvió a reír.

—Si habéis resuelto todos los problemas más las pistas, sin fallar ni una...

—Ni una —le tendieron las hojas.

—Vale, vale. Eso es un diez.

—¡Tope! —abrió los ojos Nico.

—¡Un diez en mates! ¡Mi padre no se lo va a creer! —exclamó Luc.

—¡El sueño de mi vida! —reconoció Adela.

—¡Eh, eh, esperad, no corráis tanto! —los detuvo el profesor—. Ese diez hay que promediarlo con el cuatro del primer examen, naturalmente.

—Diez y cuatro, catorce. ¡El promedio es siete! —continuó feliz Nico.

—¡Un notable! ¡Mi padre tampoco se lo va a creer! —siguió animado Luc.

—¡Nunca he tenido un notable en matemáticas! —suspiró Adela.

—Pero... —los detuvo por segunda vez el maestro—, no sería justo que tuvierais esa supernota cuando otros compañeros vuestros se van a quedar con un cinco pelado tras el examen. Así que os quito un punto por esa segunda oportunidad que habéis tenido, y otro punto por haber podido trabajar en equipo.

Se quedaron sin aliento.

—Oiga, que como nos quite un punto más volvemos a quedarnos con el cuatro del comienzo —se asustó Nico.

—Y para eso... —se le encogió el corazón a Luc.

—No voy a quitaros ningún punto más. Tenéis un cinco. Los tres.

No era un diez. Ni un siete. Pero era un cinco.

Aprobados.

Después de una tarde loca, llena de emociones, y con la alegría final de saber que todo había sido... un juego y que Felipe Romero estaba vivo.

—Venga, marchaos a casa —les echó Mariano Fernández, que había permanecido silencioso a lo largo de los últimos minutos—. Es viernes y yo ya debería estar con mi familia.

—Y yo con mi novia —el profesor subió y bajó las cejas tres o cuatro veces maliciosamente.

Se levantaron los tres.

Primero no supieron qué hacer. Luego Luc se acercó al maestro. Extendió su mano.

—Gracias, profe —dijo.

Nico le imitó.

—Es un tío legal.

Eso era lo máximo que uno podía decir de un adulto.

Adela fue la última. Pero ella no dijo nada. Sólo se acercó a él y le dio un beso en la mejilla.

Cuando salieron del despacho de Mariano Fernández, dejaron tras de sí un silencio lleno de satisfechas sensaciones.

Capítulo

$$(X = \frac{100 \times 1}{5} + 1)$$

21 y último

SALIERON fuera aturdidos, conmocionados. Habían pasado más de tres horas locas, alucinantes, desde la aparición del supuesto cadáver. Carreras, nervios, miedo, de todo.

Y ahora...

El profesor de matemáticas vivo, ellos aprobados...

—Esto ha sido una pasada —suspiró Nico.

—Total —movió la cabeza de arriba abajo Luc.

—Y lo hemos conseguido —reconoció Adela, como dándose cuenta por primera vez de que así era—. Hemos resuelto quince... lo que sea de mates y razonamiento y lógica y...

—Es verdad, nosotros solos —se hinchó Nico.

—En el fondo no era tan complicado —plegó los labios Luc—. Lo peor ha sido tener que resolverlo todo bajo presión.

—Había alguno que estaba muy bien.

—Sí.

—El de los espías era estupendo.

—Sí, ése era muy chulo.

—Algunos con sólo pensar un poco...

—Sí, es verdad. El enunciado ya lo dice casi todo. Mirad el de la mosca, el que han fallado grandes matemáticos.

—Y si no, con emplear debidamente alguna formulita...

—Eso.

Caminaban sin rumbo fijo, aunque ya se estaba haciendo tarde.

No querían separarse todavía.

Había sido una tarde genial.

Cuanto más lo recordaban y lo pensaban, más cuenta se daban de ello.

Genial a tope.

—Estamos aprobados —dijo en voz alta Adela.

—La tonta de mi prima no me dará clases —se mordió el labio inferior Nico.

—Ni a mí me pondrán de profe de verano al pedante que babea por mi hermana —dilató sus ojos Luc.

—Mis padres no tendrán que gastarse dinero ni me repetirán la eterna cantinela de que parezco lista, pero no ejerzo —se extasió Adela.

Aprobados, aprobados, aprobados.

Un verano excelso, maravilloso, único se abría ante ellos como un paraíso sin fin, colmado de días para leer, bañarse, jugar, bailar, pasarlo bien...

Y ahora, al llegar a casa, el anuncio triunfal de que en matemáticas...

El mundo era perfecto.

Nada podía enturbiar aquel momento, estaban seguros.

—¡Eh, vosotros!

Volvieron la cabeza.

Y se quedaron petrificados.

Eran los dos agentes de la guardia urbana.

—¡Ay, ay, ay! —se estremeció Adela.

—¡No, ésos no! —gimió Nico.

—¡Pringada! —exclamó Luc.

Estaban fuera del coche. Y uno cojeaba. De las dos piernas.

—Venid aquí, diablos —rezongó el primero.

—Jugando a muertos, ¿eh? —rechinó sus dientes el segundo, el de la cojera.

La reacción fue unánime.

Por parte de los tres.

—¡Corred!

Y volvieron a volar sobre las calles, cada uno en una dirección, sabiendo que era inútil explicarles nada a los agentes de la ley.

Desaparecieron en un abrir y cerrar de ojos.

Con buen humor...

*De niño —y adolescente, y mayor—, yo también fui
un pésimo estudiante de matemáticas. Las odiaba. No
las entendía —quería ser escritor, claro—. En cambio
me apasionaban los juegos, adivinanzas, acertijos,
jeroglíficos. Incluso los hacía yo. Ahora sé que no es tan
fiero el león como lo pintan, y que eso de los números
es... un juego, como dice el maravilloso —e inventado—
profesor de este libro.*

*Tal vez esta historia sirva para poner un poco de paz
en los extremos. Un puente entre los profes de mates
duros y los alumnos aún más duros de entendederas
que no pillan ni una. Tal vez. Sea como sea, es un
divertimento, y espero que así haya sido interpretado.*

*No soy ningún genio matemático, así que los
problemas de la novela han sido extraídos de los libros*
Entretenimientos matemáticos *de N. Estévanez,
publicado en París en 1894, y* Matemáticas para
divertirse *de Martin Gardner. También ha aportado
su granito de arena un excelente profe: Sebastián
Sánchez Cerón de Alhama de Murcia. El resto es mío,
incluida la superpista del capítulo 15 o el jeroglífico
del tablón de anuncios.*

*Si dicen que «la letra con sangre entra» —aunque
tampoco sea para tanto—, espero que «las matemáticas
con buen humor pasen mejor» —que me lo acabo de
inventar, pero me parece muy cierto—. Después de
todo, 2 y 2 pueden ser 4 ó 22.*

¿O no?

Jordi SIERRA I FABRA

INDICE

TÍTULOS PUBLICADOS
Serie: a partir de 10 años

TÍTULOS PUBLICADOS
Serie: a partir de 12 años